LE PETIT ABRAM

Philippe Simard

Le petit Abram

Roman

Collection ertiges

LES ÉDITIONS
L'INTERLIGNE

Catalogage avant publication de Bibliothèque et Archives Canada

Simard, Philippe, 1975 novembre 6-, auteur
    Le petit Abram : roman / Philippe Simard.

(Collection « Vertiges »)
Publié en formats imprimé(s) et électronique(s).
ISBN 978-2-89699-539-4 (relié).--ISBN 978-2-89699-540-0 (pdf)

    I. Titre. II. Collection : Collection « Vertiges »

PS8637.I4238P48 2016   C843'.6   C2016-904772-5
                                                  C2016-904773-3

http://interligne.ca/?p=3373

Code promotionnel : ps/3jzS4
(Pour obtenir votre version numérique e-pub gratuite !)

Les Éditions L'Interligne
435, rue Donald, bureau 117
Ottawa (Ontario) K1K 4X5
Tél. : 613 748-0850 / Téléc. : 613 748-0852
Adresse courriel : communication.interligne@gmail.com
www.interligne.ca

Distribution : Diffusion Prologue inc.

À Gabriel et Marguerite, mes enfants adorés.
Ne perdez jamais de vue
vos rêves
les plus fous.

« *Je ne suis pas de ceux qui nient les miracles et lorsque je m'interroge je suis prêt à affirmer que c'est seulement sur eux que je puis compter.* »
Philippe Soupault, *Les dernières nuits de Paris*

« *The shapes arise !* […]
The door whence the son left home, confident and puff'd up ;
The door he enter'd again from a long and scandalous absence, diseas'd,
broken down, without innocence, without means. »
Walt Whitman, *Song of the Broad-Axe*

« *Y así esta carta se termina*
sin ninguna tristeza :
están firmes mis pies sobre la tierra,
mi mano escribe esta carta en el camino,
y en medio de la vida estaré
siempre
junto al amigo, frente al enemigo,
con tu nombre en la boca
y un beso que jamás
se apartó de la tuya. »
Pablo Neruda, *La carta en el camino*

Zaéma

Ce que je préfère de l'école, c'est marcher avec Zaéma pour nous rendre là-bas, et surtout la raccompagner chez elle le soir, après les cours.

Elle et moi, on marche moins vite que les autres, on les laisse tous aller devant, et quand ils tournent le coin pour aller sur la grande rue, alors on sait qu'on est juste tous les deux, qu'y a personne qui nous voit. Je lui prends la main, doucement. Et on avance, en balançant le bras, juste comme ça, le plus lentement possible, pour que ça dure longtemps, pour pas avoir à tourner le coin tout de suite, mais pour pas non plus nous arrêter, parce qu'on ose pas, c'est pas permis.

Zaéma, c'est une fille pas comme les autres. Je lui ai promis que je la demanderais en mariage, le jour où j'aurais assez d'argent pour acheter une voiture. Les gens riches, ils ont toujours une belle voiture, et les filles vraiment jolies, c'est connu, elles épousent toujours que des gens riches.

Elle m'a dit qu'elle aimerait bien qu'elle soit rouge, la voiture, parce que c'est la couleur qu'on remarque le plus. Moi je suis d'accord, si c'est ce qu'elle veut. Elle a voulu savoir quand je l'aurais, et j'ai pas su quoi lui répondre. J'ai senti qu'elle voulait que je la rassure, ou que je lui jure : « Ça sera pas long, crois-moi, je l'aurai bientôt, notre voiture, et j'irai tout de suite chez tes parents pour qu'ils m'accordent ta main. »

Je crois qu'elle aurait préféré que je lui donne une date plus précise, que je l'assure que la voiture serait devant sa porte tel jour de la semaine prochaine, garanti. Mais je veux pas lui mentir. Je veux qu'elle comprenne bien qu'il est pas simple, notre problème. La vérité, c'est que je sais pas quand je pourrai revenir, avec la voiture et l'argent et tout. C'est difficile de prévoir. Je lui ai dit : « Je vais tout faire pour revenir vite, mais Dieu sait combien de semaines, combien de mois… combien d'années peut-être ça me prendra ! Mais je te jure, je vais revenir, je vais tout faire, tout. » On s'est arrêtés, elle m'a regardé sans rien dire. J'ai vu dans ses yeux qu'elle me croyait. C'était un soir qu'on revenait de l'école, comme d'habitude. Le soleil se couchait derrière les maisons, la ruelle était à moitié dans l'ombre, à moitié dans la lumière. C'était l'heure où les oiseaux volent entre les murs et s'appellent de toit en toit. Elle s'est approchée doucement, ses yeux étaient comme des mirages. Elle a posé ses lèvres sur mes lèvres… C'est un souvenir que les mots peuvent pas expliquer, qu'ils peuvent juste effleurer. Mais il vit en moi comme une oasis dans le désert.

Évidemment, Zaéma est pas vraiment consciente de ce que ça signifie, quitter le village, sortir du pays, trouver un endroit où y a du boulot, en trouver un qui paye bien, et ramasser un tas d'argent. Ça sera pas simple du tout. Ça sera dur. Je sais que je vais souffrir. Mais c'est pas utile de tout lui expliquer, de lui parler du danger qu'y a à s'en aller tout seul, à traverser des pays qu'on connaît pas, que personne ici connaît. C'est pas utile de lui avouer que j'ai peur. Je préfère qu'elle s'inquiète pas trop, et surtout qu'elle perde pas espoir, même si je reviens pas aussi vite qu'on voudrait. Elle doit m'attendre.

Je devrais peut-être lui montrer tout ça sur une carte, qu'elle sache où je pense aller, et par quels chemins. Alors elle comprendrait que c'est pas dans le village d'à côté et qu'on peut pas se rendre là-bas et revenir en quelques jours. Je vais demander au professeur s'il veut bien me prêter la grande carte qu'il garde enroulée dans un coin de la classe. Comme ça, elle verra bien que je rigole pas, que c'est pas juste des mots en l'air, que je suis sérieux, que je suis convaincu. On risque pas sa vie par amour quand on est pas vraiment amoureux.

Au fond, c'est qu'un problème de fric. Si j'arrive pas à en ramasser un bon paquet, alors les parents de Zaéma voudront jamais que je l'épouse. Ils ont déjà quelqu'un en tête, un qui est riche, je le sais, mes parents en parlaient l'autre jour. Ils l'ont su parce que ma mère connaît assez bien la mère de Zaéma. Elles se parlent toujours quand elles se voient au marché. Donc ils étaient dans le salon après le souper, et moi j'aidais ma tante dans la cuisine. Ma mère a dit, en baissant la voix (mais j'entendais quand même) :

« Tu sais que la petite Zaéma a un prétendant sérieux ? Ils l'ont reçu la semaine dernière avec ses parents, et tout le monde a trouvé Zaéma bien jolie.

— Bah ! Ce n'est qu'un prétendant. Ça ne veut rien dire. Il y en aura d'autres, c'est sûr. Quand une fille est jolie, elle peut attendre.

— Je ne sais pas. On dirait que c'est sérieux. C'est le fils d'un petit cousin de la ville, du côté de sa mère. Apparemment, la famille gère un magasin de meubles et elle a pas mal d'argent. Ils sont venus dans une voiture neuve…

— Hum. Ça ne veut pas dire que ça va marcher. En tout cas, ne le dis pas à Abram, ça lui ferait mal pour rien.

— Et pourquoi on n'irait pas, nous aussi, chez eux, leur proposer notre fils ? Il vaut bien le fils d'un petit cousin de la ville, non ? Tu ne crois pas qu'il est temps qu'on fasse quelque chose ?

— On pourrait toujours… Mais on n'a que notre misère à partager. Les parents de Zaéma refuseraient, c'est sûr. Alors évitons au moins la honte.

— On devrait essayer quand même…

— C'est inutile. Quand une fille est jolie, les parents peuvent se permettre d'être difficiles.

— Tu sais bien qu'Abram n'est pas un garçon comme les autres. Il ferait un mari parfait pour Zaéma.

— Abram est un excellent garçon. Je suis très fier de lui. Mais pense à ta propre fille. Si tu pouvais choisir le meilleur parti pour Hava, tu n'aimerais pas mieux un riche cousin de la ville, s'il y en avait un, par miracle, qui se présentait ?

— Ce n'est pas pareil. Abram et Zaéma, ils se connaissent depuis toujours.

— C'est normal de vouloir le meilleur parti pour sa fille. C'est dans l'intérêt de la famille.

— C'est triste, quand même. Ils s'aiment bien, déjà.

— Ce n'est pas pour ça qu'on se marie.

— Je sais. »

Le plus simple, ça serait qu'on nous laisse choisir, Zaéma et moi, qu'on nous laisse faire comme on veut. Mais c'est pas ce qui arrive. Et moi, ça m'oblige à faire quelque chose de terrible, quelque chose qui est peut-être au-dessus de mes forces. Je sais pas dans quoi je m'embarque, je sais rien.

Comment ils font, les autres, pour accepter que les choses se passent pas comme ils veulent ? En tout cas, je dois pas rester là, à regarder les choses se faire, sans rien dire, sans bouger, comme si j'avais déjà renoncé à tout, comme si j'étais déjà mort.

Quand ils verront ma voiture neuve, les parents de Zaéma, ils remercieront Dieu de me connaître, et ils me diront, comme s'ils parlaient à un monsieur de la ville : « Mais où étiez-vous donc tout ce temps-là, monsieur Abram ? » Ils me donneront leur fille à marier, juste là, sans attendre une minute de plus. Il restera qu'à célébrer les noces, et ce seront des noces dont le village se souviendra longtemps, parce qu'on invitera tout le monde à venir fêter avec nous.

Ça, c'est mon rêve. C'est notre rêve, à Zaéma et moi.

Pour pas courir de risques, et aussi pour que ça aille plus vite, je vais leur envoyer une ou deux photos directement d'où je serai. Dessus y aura ma voiture neuve, et moi dans la voiture qui tiens l'argent. Je vais aussi leur écrire une belle lettre sur du beau papier pour les convaincre de donner leur fille en mariage à personne d'autre qu'à moi, pour qu'ils attendent au moins que je sois revenu, qu'ils me donnent ma chance. Je vais leur écrire tout ça avec une belle plume neuve : « J'ai beaucoup d'argent, je suis sérieux, je serai là bientôt, j'arrive… » Et d'autres choses de ce genre-là pour qu'ils voient que c'est pas des blagues. Aussi je mettrai pas mal de billets dans l'enveloppe, pour qu'ils me croient. Et même je leur enverrai la plume.

Je les connais un peu, les parents de Zaéma. Ils m'aiment bien. Et si j'ai de l'argent, je suis sûr qu'ils m'attendront. Je vois pas pourquoi ils m'attendraient pas. Je veux dire : ils auront pas vraiment le choix. Je vais écrire un chiffre au bas de la lettre, un gros chiffre, pour les impressionner. Ce sera tout l'argent que je ramène avec moi. Ils sauront que c'est pas de la frime. Et si Dieu me vient en aide, alors ce sera dans la poche.

Mais si malgré ça ils veulent pas me donner sa main, moi, Abram, je le jure, j'emmènerai Zaéma dans ma voiture, on s'en ira tous les deux vivre ailleurs, dans un endroit où y aura personne pour nous dire quoi faire, où y aura la Mer et du sable et des sources et des arbres. Zaéma rêve de voir la Mer, elle me l'a dit l'autre jour, alors je vais l'emmener jusque-là, jusqu'à la Mer immense, dans ma voiture neuve. Et là-bas, si Dieu le veut, je l'épouserai.

Mais si tout se passe comme on espère, comme on rêve, Zaéma et moi, alors ce sera simple. Ses parents seront d'accord, ils voudront bien attendre que je revienne, y aura pas de problème, et on aura pas besoin d'aller vivre ailleurs.

∽

Quand oncle Moussa m'a offert des cahiers d'écriture, c'était pour que je recopie des versets du Livre ou des phrases à lui que je voulais retenir. J'ai pas pensé alors que je pourrais m'en servir pour écrire autre chose. De toute manière, dans le village, tous les enfants apprennent déjà par cœur des tas de phrases que le professeur pige dans le Livre et qu'il faut savoir redire sans se tromper. Pour ça, j'ai toujours utilisé les petits cahiers de couleur qu'on nous donne à l'école en début d'année. Parce qu'on rit pas avec ça, les leçons. Faut les savoir, c'est tout. Y a pas à réfléchir. Sinon, c'est sûr, le professeur se fâche. Et si c'est clair qu'on a pas fait assez d'efforts pour apprendre comme il faut, alors il nous punit.

C'est comme Aaron, l'autre jour, quand il s'est trompé en récitant les versets. Il fallait dire : « Les âmes des justes sont dans les mains du Seigneur. » Mais lui, il a dit : « Les mains du Seigneur sont dans l'âme des justes. » Alors on a tous pouffé de rire, et le professeur était pas content du tout. Aaron a dit : « Je m'excuse, monsieur, je me sentais pas bien hier soir, j'arrivais pas à étudier, j'étais malade, je vous jure… » Nous, on le croyait, on voyait dans son visage qu'il disait la vérité. C'est pas son genre, à Aaron, de raconter des histoires. Mais le professeur, lui, il a pas voulu le croire, et Aaron a reçu des coups de roseau sur les mains. Juste deux, c'est vrai, mais quand même, ça chauffe après, c'est sûr. Le pire, c'est qu'en plus le professeur l'a dit à ses parents, et ce soir-là, il a été encore puni, et il a dû rester dans sa chambre jusqu'au lendemain matin, sans rien boire ni bouffer. Disons qu'il l'oubliera pas de sitôt, ce verset-là.

Moi, heureusement, j'ai de la facilité à retenir les phrases par cœur, alors ça me dérange pas trop de les apprendre, même si, souvent, je comprends pas très bien ce que je répète. Ceux qui ont écrit le Livre ont pas pensé aux gars comme nous, en tout cas ils l'ont pas écrit pour qu'on arrive à le lire tout seul, et à tout comprendre du premier coup. Y a presque toujours des trucs qui nous échappent. Le professeur a beau nous expliquer du mieux qu'il peut… et je sais qu'il nous explique bien, je veux dire qu'il prend son temps, et même il répond à toutes les questions… si on en a, mais souvent on en a pas, et c'est pas parce qu'on a compris. En fait, c'est pour pas lui montrer qu'on a rien pigé qu'on reste muets. On apprend et on répète tout, et on évite de poser des questions. Le professeur nous a plusieurs fois expliqué qu'y a des choses qu'on doit savoir sans chercher à comprendre. Alors on se dit que c'est normal de pas comprendre tout ce qu'on apprend, même si c'est pas très motivant. Le professeur nous a juré que, quand on sera plus vieux, on sera contents de savoir par cœur tout plein de phrases importantes, parce qu'alors elles nous indiqueront quoi penser, quoi dire et quoi faire.

Et ça, qu'il a insisté, c'est rassurant pour un homme qui connaît rien du monde, en dehors de son village.

C'est à ça finalement qu'il sert, le Livre : il explique tout, la vie, la mort, le monde, et les autres choses aussi. Il dit ce que Dieu attend de nous. Y a pas à réfléchir. Y a juste à savoir. Le premier devoir des garçons comme nous, c'est d'obéir. Faut pas demander pourquoi. La phrase que répète souvent le professeur à ce sujet-là, c'est la même que répète le prêtre, au temple : « Suivez ceux qui vous guident. » Et il rajoute : « C'est Dieu qui donne aux hommes leur place dans le monde. Si vous respectez l'autorité de votre père, du prêtre, du professeur, de tous ceux que Dieu a placés au-dessus de vous, en vérité, c'est la volonté de Dieu Lui-Même que vous respectez. »

Nos pères, eux, leur premier devoir, c'est de s'assurer de maintenir les traditions. Si j'ai bien compris, ça veut surtout dire de rien changer, mais vraiment jamais, à la manière de faire et de penser de nos ancêtres. Au fond, nos pères aussi doivent tout accepter sans demander pourquoi.

Je retiens bien les leçons. Je suis un bon élève. En tout cas, c'est ce que dit toujours le professeur à mon père, quand ils se croisent au temple. C'est mon père qui me l'a dit. Le professeur le félicite de la bonne éducation qu'il donne à son fils.

C'est important pour moi que mon père pense que je suis un bon élève. Ça évite beaucoup de problèmes. Si je réussissais moins bien, c'est sûr, il commencerait à me surveiller, comme il a fait avec Hava y a quelques années, une fois qu'elle a eu des notes encore plus mauvaises que d'habitude. Elle a jamais été très forte à l'école, ma grande sœur, mais là, elle avait frappé le fond. Alors il a plus voulu qu'elle sorte retrouver ses amies quand c'était congé d'école, et même il l'a obligée à faire ses devoirs devant lui dans le salon. Mais ça a pas duré. Ma sœur a tout de suite eu de meilleures notes. Ça la rendait folle d'être surveillée par mon père. Elle a fait plus d'efforts pour réussir. Quand mon père a vu ça, il l'a lâchée un peu.

Moi, je suis prudent, je fais ce qu'on me dit, je travaille bien, et ça, mon père, je sais que ça le rend fier. Des fois, il le dit à des gens qui viennent à la maison, des fois je l'entends s'en vanter aux voisins. Quand mon père est content de nous, la vie est tellement plus simple à la maison.

∾

Mais depuis que j'ai décidé de partir, l'école me dit plus rien. J'ai la tête pleine de trucs qui m'empêchent d'écouter, de penser, de travailler comme avant. Je fais tout ce qu'il faut pour que le professeur s'aperçoive de rien. Je réussis aussi bien qu'avant, mais le cœur est plus là.

Heureusement, y a les potes. Ça me fait un bien fou de jouer au foot dans la cour, de courir sans penser à rien, sinon à pas me laisser déjouer, à faire des passes, à tirer au but.

Des fois, c'est vrai, on joue à autre chose, pour changer, comme le mois dernier, après les Fêtes, quand on a presque tous reçu des billes en cadeau, parce qu'y en avait des pas chères au marché. Alors on a joué aux billes. Mais ça dure pas longtemps, les billes, on se fatigue assez vite d'avoir à les ramasser et de les traîner dans nos poches. À la longue aussi on s'ennuie de bouger. Je veux dire, les billes, c'est pas vraiment du sport. Alors on s'est remis à jouer au foot. Mais juste avant, parce qu'on les voulait plus, on s'est débarrassés de celles qui nous restaient. On est allés dans le dépotoir derrière la maison du ferrailleur. On a sorti nos frondes, on a formé une ligne, et on a attaqué les rats.

C'est pas simple de frapper un rat avec une bille… Ils sont rapides et ils déguerpissent après la première volée qu'on leur envoie.

L'an dernier, Daoud a réussi à en tuer un, un gros, mais qui avait plus de queue. Pour faire peur aux autres rats, on l'a *empalé*. Je sais que c'est le bon mot, je l'ai demandé au professeur, et je me souviens de son drôle d'air quand il m'a répondu. Donc on a empalé le rat sur une tige de fer qu'on a trouvée dans les poubelles. Mais quand on est retournés le soir après l'école pour voir s'il était encore là, au bout de sa tige, on a vu que non, et Faarid a dit que les autres l'avaient sûrement mangé, parce qu'ils aiment bien se manger les uns les autres. Nous, on l'a pas contredit, on trouvait que c'était une explication logique. De toute façon, il connaît ça, les rats, Faarid : son père travaille au marché, et il en tue des tas.

Oui, ça me fait toujours plaisir de voir les potes, même si l'école me dit plus rien.

J'ai surtout plus envie d'apprendre à réciter le Livre. Je sais que c'est très important de le lire et de le connaître. C'est ce qu'y a de plus important au monde, après Dieu. Je sais ça. Et je voudrais pas être le seul à pas le connaître. On dit qu'y a dans le pays des gens qui peuvent le réciter en entier sans le regarder, et ils méritent sûrement qu'on les admire pour ça. Mais si on me demandait : « Et toi, Abram, quelles sont les choses que tu aimerais connaître ? » Si je pouvais répondre sincèrement, je dirais que je voudrais connaître le nom de tous les oiseaux du ciel et de tous les poissons de la mer et de tous les animaux qui vivent dans les plaines, les montagnes, les déserts et les forêts. Et connaître par cœur toute la géographie du monde.

On peut pas voyager si on connaît pas le nom des autres pays, si on sait pas où sont les frontières, les routes, les passages dans les montagnes, les vallées, les rivières, les ponts, les villes et les villages, et toutes les choses extraordinaires qu'on découvre nécessairement quand on voyage.

Y a un proverbe qu'on entend souvent dans le village : *Traverser le Désert sans connaître les sources, c'est comme traverser une forêt les yeux fermés.* Même si y a plus de forêts depuis longtemps dans la région, ça montre bien que le voyageur, il doit savoir un peu d'avance où il va s'il espère se rendre. Mais la géographie, on peut pas vraiment dire que le professeur nous l'enseigne comme il faut. On regarde tous ensemble la carte deux ou trois fois par année, et c'est toujours pour nous montrer où se trouvent les endroits qu'on nomme dans le Livre, ou bien ceux qui apparaissent dans le recueil d'histoires qui raconte le passé de notre pays.

Pour apprendre vraiment quelque chose en regardant la carte du monde, il faut pas écouter ce que raconte le professeur. Surtout il faut pas faire attention à ce qu'il indique avec son doigt. Il faut plutôt regarder tout autour, je veux dire partout ailleurs, et voir où finit la terre, où commencent les océans, où sont les montagnes et les fleuves et les déserts et tout ça, mais aussi il faut regarder comment la terre est divisée, combien y a de pays, quels noms ils ont, quelles formes, quelle taille, comment ils sont regroupés aussi ; parce que la Terre est pas carrée et pas lisse non plus, et en plus elle est remplie d'eau ; alors c'est sûr, des pays, y en a dans tous les coins de la carte.

J'aimerais aussi apprendre d'autres langues, comme a fait oncle Moussa à l'université, quand il est allé en France. Lui, il sait plein de trucs que les hommes du village sauront jamais, juste parce qu'il a voyagé.

Mais depuis la dernière guerre, on déteste tout ce qui est pas d'ici. Alors à l'école on étudie que les trucs que tout le monde connaît déjà, et surtout on évite de parler des autres peuples, même si on sait qu'ils existent et qu'ils vivent tout autour de nous.

Le prêtre est venu une fois dans la classe nous expliquer qu'il faut se contenter d'apprendre à réciter le Livre. Apparemment, le reste est pas vraiment important, étant donné que ça nous sera jamais utile, ici, dans le village.

« À travers le Livre, c'est Dieu qui parle, qu'il a dit en élevant la voix, comme pour nous impressionner. Les mots du Livre, ce sont ses mots à Lui. »

Daoud a levé la main et lui a demandé si Dieu parlait seulement notre langue à nous, ou s'Il parlait d'autres langues aussi. Le prêtre a pas trop su quoi lui répondre et il a regardé le professeur d'un air surpris. Daoud a rajouté : « Logiquement, il devrait y avoir qu'une seule langue de Dieu, non ? Alors comment ils font, nos Ennemis, pour Lui parler ? »

Nous, on était bien contents que Daoud ait le courage de poser cette question-là. Nous aussi, ça nous intéressait. En tout cas, il cherchait pas à provoquer, c'est clair, il a demandé tout ça avec beaucoup de politesse, même s'il a un peu insisté, faut l'admettre.

Quand le prêtre est parti, le professeur s'est fâché contre Daoud, comme s'il avait prononcé des mots qu'on dit pas, comme s'il avait blasphémé, quoi, et il a reçu cinq coups de roseau sur la paume des mains, et ça lui a fait mal. Y avait des larmes qui coulaient sur ses joues, comme deux ruisseaux sur le sable.

Maintenant, on ose plus poser de questions sur les choses qu'on apprend ou qu'on apprend pas à l'école. On récite le Livre, c'est tout, c'est pas à nous de décider, on l'a compris. En attendant d'être des hommes, y a qu'à obéir.

∾

J'ai toujours trouvé dommage que les garçons et les filles, on les laisse pas s'asseoir dans la même classe. Je sais qu'elles apprennent pas les mêmes choses que nous. Pour commencer, elles étudient presque pas le Livre. Elles apprennent un peu à lire et à compter, et surtout à se rendre utiles à la maison. Mais elles suivent pas de leçons de géographie. C'est dommage qu'elles sachent moins de choses. Je trouve que ça les rend un peu naïves, et même des fois un peu sottes.

Une fois, durant la récré, j'ai demandé au professeur de m'expliquer pourquoi on nous séparait. J'étais curieux d'entendre ce qu'il pensait, lui, parce qu'on doit avoir sa propre opinion sur ça quand on est professeur. Il m'a regardé avec un air qui disait : *Mais qu'est-ce que c'est que cette question-là ?...* Ça m'arrive assez souvent de me faire regarder de cette façon-là, j'ai l'habitude. Y a que Zaéma qui est jamais surprise de ce que je lui raconte, et je peux lui dire n'importe quoi, je sais qu'elle va jamais se moquer ni faire de grimace.

« Abram, qu'il a finalement répondu, le professeur, tu pourras toujours le demander à ton père, il saura mieux que moi, parce qu'il a une famille, des enfants, des filles et un garçon. Moi, je…

— Mais c'est ce que j'ai fait, monsieur, je vous jure, je lui ai posé la même question, avec les mêmes mots, et il m'a pas vraiment répondu. Il a dit : "C'est la tradition, c'est tout…" Alors j'ai pensé que vous, peut-être, vous pourriez m'expliquer. »

Le professeur m'a regardé sans rien dire. Il se lissait la barbe. Je voyais qu'il hésitait à parler. Alors je me suis dépêché d'insister : « Je veux juste savoir, vous comprenez…

Quel mal ça pourrait faire ? » Après ça, j'ai plus osé le regarder. Je croyais qu'il allait peut-être se fâcher et qu'il éclaterait : *De quoi te mêles-tu, Abram, fils de ton père et de ta mère ?* Mais il a mis sa main sur mon épaule et il a souri.

« C'est pour éviter que les garçons ne fassent des bêtises. Les filles, elles ont cet effet-là, tu sais… Allez, ne pose plus de questions, Abram, va plutôt rejoindre les autres. »

Je suis pas sûr de ce qu'il a voulu dire. C'était comme s'il me prévenait d'un danger. Mais je vois pas quel mal les filles pourraient nous faire, dans la classe… Au contraire, si on pouvait s'asseoir tous ensemble, peut-être que, pour les impressionner, les garçons travailleraient plus fort et qu'ils seraient plus attentifs et qu'ils joueraient moins aux malins. Parce que les jolies filles, elles craquent toujours pour les garçons qui réussissent mieux que les autres, non ?

En tout cas, ma Zaéma, je sais que j'ai pas besoin de faire le clown pour lui plaire. J'ai juste besoin de lui répéter souvent qu'elle est jolie, de lui prendre aussi la main doucement, quand y a personne pour nous voir, et de lui murmurer des secrets dans l'oreille. Comme ça, je sais que je lui plais. Ses joues deviennent toutes roses et elle me regarde avec ses yeux comme des soleils… Alors je me sens tout drôle, je serre un peu plus fort sa main, et elle me sourit, comme jamais une fille a souri avant elle.

Je passe beaucoup de temps à me demander ce qu'elle fait. Je pense à nous deux. Je me demande ce que Dieu nous réserve. Alors j'ai hâte que les cours finissent, parce que je sais que je pourrai la voir après l'école, et qu'on marchera ensemble jusqu'à sa maison.

Juste avant de rentrer, elle se tournera vers moi. Elle me regardera et on restera là un moment, muets tous les deux, les yeux dans les yeux. Alors elle me dira, en faisant un petit geste mignon avec la main : « À demain, Abram. »

Moi je lui répondrai : « À demain, Zaéma », et je la regarderai entrer dans sa maison puis refermer doucement la porte. Ça sera juste ça, rien de plus, comme d'habitude. Mais ça sera assez pour que je continue de rêver à elle tout le temps.

C'est peut-être ça, l'Amour. Une sorte de rêve qu'on vit les yeux bien ouverts.

Faut dire que je rêve aussi à d'autres choses. Par exemple, que je voyage à travers le monde. Je m'imagine en train de découvrir des pays dont je sais que les noms et la forme sur la carte. Je me demande ce que mes yeux verraient si j'étais là-bas, comment les gens s'habillent, quelle langue ils parlent, ce qu'ils mangent, et plein d'autres trucs qu'on sait pas quand on ignore tout des autres.

Avant d'avoir vu la carte du professeur, je me posais pas ces questions-là. Je pensais que le monde était pas beaucoup plus grand que le village. Je savais pas (mais comment j'aurais fait ?) qu'y avait tellement d'autres pays et d'autres peuples. Je l'avais entendu dire, c'est vrai, mais ç'avait pas changé mon impression que je vivais au centre du monde. Je soupçonnais pas à quel point la Terre est immense, ni qu'y a des gens partout, et que notre pays, au fond, il est plutôt petit comparé aux autres… Et même on peut pas dire, honnêtement, qu'il se trouve au centre. J'ai compris d'un coup, comme si on m'avait lancé ça par la tête et que ça m'avait réveillé, que tous les habitants de la terre, s'ils y tiennent, peuvent bien se dire qu'ils vivent au milieu du Monde… Parce qu'y a pas de milieu, y a que de l'eau et de la terre et de la vie partout, éparpillées sans qu'on voie bien la logique derrière tout ça, sans qu'on sache en tout cas où se trouve le centre. Ça m'a bouleversé de le découvrir, de le voir sur la carte. Je me souviens clairement de ce moment-là. J'ai compris qu'y a un milliard de choses que j'ignore, et surtout que je soupçonne même pas. Et que la vie sera jamais assez longue pour tout apprendre.

Je sais qu'où j'irai, ce sera pas comme ici. Souvent, le soir, dans mon lit, je me mets à réfléchir à ce que ce sera de marcher sur un sol étranger, dans un décor nouveau, mais j'arrive jamais à m'en faire une idée claire, et ça demeure flou, comme quand on cherche à deviner le paysage à travers un nuage de sable. Je peux rester des heures éveillé, les yeux ouverts, à fixer la nuit en essayant de voir clair dans l'avenir, jusqu'à me sentir complètement épuisé…

Mais toujours, à la fin, elle réapparaît, ma belle Zaéma, dans mes rêveries, avec son sourire et ses yeux que je peux pas décrire (j'ai beau essayer, c'est jamais aussi fort que je le ressens). Alors je me mets à tout lui raconter, toutes les merveilles que j'ai vues, les forêts, les fleuves, les montagnes et les océans, et tout le reste, et elle m'écoute en souriant et je vois dans ses yeux que ça l'impressionne. Je vois qu'elle m'admire, qu'elle croit en moi, et qu'elle m'aime. Et moi, ça me remplit de joie. Ça me rassure. Alors je peux m'endormir.

∾

La semaine dernière, le professeur nous a lu une des histoires du vieux recueil qu'il garde sur l'étagère. C'est un gros livre usé avec une couverture épaisse décorée de fleurs, d'oiseaux, de branches d'arbres. C'est plutôt joli, faut dire, et ça raconte des choses étonnantes.

L'histoire qu'il nous a lue parlait d'un jeune prince. Il avait quatorze ans, comme moi. Il devait se fiancer avec une jeune princesse qu'il connaissait pas, qu'il avait même jamais vue, et qui vivait dans un royaume voisin. Les parents, comme d'habitude, avaient tout arrangé sans demander leur avis aux enfants, parce que leur mariage permettrait aux deux peuples, qui s'étaient fait longtemps la guerre, de faire la paix une fois pour toutes.

Mais le jeune prince, lui, refusait d'accepter le choix de ses parents, parce que, et je me souviens très bien des mots que nous a lus le professeur : « Il était passionnément amoureux d'une belle demoiselle de son royaume, qu'il connaissait depuis l'enfance. »

Alors au lieu de se fiancer avec la fille qu'il aimait pas, comme il aurait dû, pour faire plaisir à tout le monde et par respect pour la coutume, eh bien il s'est sauvé avec la fille qu'il aimait. Il a quitté le palais sans se confier à personne et il est allé vivre loin, ailleurs, Dieu sait où, sans rien dire à personne, sans prévenir, sans s'expliquer, sans s'excuser.

Rami a tout de suite levé la main, et il a demandé au professeur ce que ça voulait dire exactement : « passionnément amoureux ».

Il a répondu : « Ah, ça, mon gars, c'est quelque chose d'un peu compliqué. »

Alors je sais plus qui, mais y a quelqu'un qui lui a demandé : « Est-ce que c'est bien ou c'est pas bien ? »

Il nous a regardés avec ses sourcils relevés. Je crois qu'il aurait préféré parler d'autre chose. Mais il a fini par répondre : « La passion, euh… c'est quelque chose de très fort… Et si c'est trop fort, euh… ça donne envie de ne pas écouter ce que disent les autres et d'oublier ses devoirs. Et ça, ce n'est pas bien. »

On s'est tous mis à réfléchir. On se demandait si ça pourrait jamais nous arriver, à nous aussi, un truc comme ça qui pousse à faire des choses aussi extraordinaires.

Puis Fayed a demandé :

« Mais les parents, qu'est-ce qu'ils ont dit ? Ils devaient être pas mal fâchés, non ?

— Au début, c'est vrai, ils devaient être furieux qu'on leur ait désobéi. Mais après un certain temps, quand ils ont compris que leurs enfants ne reviendraient pas, ils ont dû être très malheureux.

— Et après ? que Maamoud a demandé, qu'est-ce qu'il leur est arrivé aux amoureux, dans l'autre royaume ? Ils se sont mariés ? »

Hayim l'a interrompu : « Mais comment ils ont fait aussi pour se rendre dans l'autre royaume ? Ils avaient une voiture ? »

Je sais plus qui lui a répondu : « C'est bien plus vite en avion. »

Un autre a dit : « Mais non, idiots, y avait que les trains dans ce temps-là ! »

Et pendant une minute, toute la classe s'est mise à parler en même temps, et chacun avait une explication à donner aux autres ou une nouvelle question à poser. Le professeur nous regardait, la bouche ouverte, comme un mec un peu dépassé par la situation. Quand le calme est revenu, il a refermé doucement le vieux recueil d'histoires et nous a regardés, en faisant une drôle de grimace qui était presque un sourire : « L'histoire ne le dit pas, les garçons. C'est à vous d'imaginer. » Puis il est allé le replacer sur l'étagère. C'était la récré.

∾

Ni papa, ni maman, ni oncle Moussa, ni grand-mère, ni Hava, ni même tante Saara, personne a eu envie de me répondre quand j'ai posé à chacun la même question : « Dis-moi, à ton avis c'est quoi être passionnément amoureux ? »

Je voudrais savoir si ce que je ressens pour Zaéma, c'est bien un amour comme celui du prince dans l'histoire. Je suis sûr que ça lui ferait plaisir de le savoir. Peut-être qu'alors elle me dirait, avec ses yeux pleins de lumière : « Moi aussi, Abram, je suis passionnément amoureuse de toi ! » Alors on serait sûrs que tout ça, notre rêve, mon départ, le risque fou que je prends, que tout ça on le fait pas pour rien, mais qu'y a une raison parfaitement logique, et c'est qu'on est passionnément amoureux. Ça expliquerait tout.

∾

La seule fois où j'ai entendu quelqu'un parler d'amour, c'est quand Hava discutait avec une de ses amies, l'autre jour, dans la cour. J'ai écouté ce qu'elles racontaient. J'étais dans la cuisine, mais la fenêtre était ouverte. Ma sœur affirmait que les garçons et les filles devraient se marier que s'ils sont amoureux. Elle a insisté : « Il faut que, quand ils sont en public, elle soit fière d'être avec lui, et lui avec elle. Sinon, ils seront malheureux, c'est sûr. »

Son amie a répondu que ses parents ont choisi pour elle un garçon plus vieux et pas très beau qui vit dans un village plus bas dans la vallée, un garçon qu'elle a rencontré qu'une fois, et qu'elle aime pas.

« Mais ses parents ont une voiture », qu'elle a tout de suite rajouté, et c'était comme si elle disait : *Quand même, je l'ai trouvé bien gentil.*

Ma sœur a dit que l'amour, ça pouvait arriver à la longue, qu'une voiture c'est déjà ça, que ça signifie au moins qu'il a de l'argent, et l'argent, c'est sûr, un garçon doit en avoir pour être aimé.

Son amie a répliqué qu'elle espérait que son mari lui ferait toutes sortes de cadeaux, et qu'elle aurait pas trop à travailler, et aussi qu'ils prendraient des vacances à la Mer. Ma sœur a conclu que le garçon qui peut donner tout ça à sa femme est celui qui mérite le plus d'être aimé. Elles étaient toutes les deux d'accord.

Finalement, je pense pas que ma sœur et son amie sachent vraiment ce que c'est, l'Amour. Je crois qu'elles mêlent les choses. Elles voudraient surtout pas avoir à travailler aussi dur que leurs mères, et elles sont prêtes à aimer le premier garçon qui leur offrira de pas vivre la vie des femmes du village, parce qu'elle est dure et pas très amusante. Au fond, elles rêvent encore comme des enfants, ou plutôt comme des fillettes. Elles pensent que le bonheur leur viendra tout seul, sans effort. Pour elles, l'idéal, c'est une vie qu'on passe sans se salir les doigts, sans travailler mais sans trop s'ennuyer non plus, une vie juste à se maquiller et à se parfumer toute la journée comme des fiancées devant un grand miroir, en écoutant les oiseaux, en mangeant des fruits et des bonbons, en jacassant comme des pies avec leurs amies. Tout ça en attendant que leur mari les emmène en vacances dans leur voiture neuve.

Sauf que les femmes d'ici vont pas en vacances. Ni les hommes, d'ailleurs. C'est simple, au village, personne est jamais allé nulle part en vacances. Jamais. Sauf si c'est un jour saint, ou si l'Ennemi nous fait la guerre, y a pas moyen de pas travailler, même juste une demi-journée, même si on est malade, même si on est à bout de forces. Y a personne qui pense à rester assis à rien faire, juste pour le plaisir, comme ma sœur et ses amies voudraient pouvoir le faire. La vie parfaite, pourquoi faudrait que ce soit de pas avoir à bouger le petit doigt ? Quand on bouge plus, on est mort, non ?

En tout cas, toutes les filles rêvent qu'à ça dès qu'elles ont l'âge de rêver : partir un jour en vacances au bord de la Mer. Mais y aura toujours que les riches de la ville qui pourront le faire. Et encore, personne ici sait ce qu'ils en font, de leurs vacances. Peut-être qu'ils en font rien de bon, rien d'utile, et qu'ils se contentent de glander au soleil, comme des filles paresseuses.

∾

J'ai parlé à Slimaann de mon problème, je veux dire du cousin de Zaéma. Il comprend pas pourquoi je m'en fais autant.

« Tu t'énerves pour rien. De toute façon, c'est pas Zaéma qui choisit, c'est pas le cousin non plus. C'est une affaire réglée entre les parents, du business quoi ! Ça sert à rien de te fâcher, tu peux rien contre les coutumes.

— Je crois que je pourrais enlever Zaéma.

— L'enlever ? Mais comment ?

— Dans ma voiture.

— Attends, mais tu es zouf ou quoi ? Quelle voiture ? Avant que t'aies une voiture… et si jamais t'en as une, parce que c'est pas sûr…

— Tais-toi ! J'aurai une voiture.

— D'accord, te fâche pas. Disons que quand t'auras ta voiture, eh bien Zaéma, elle, je te jure, elle sera mariée depuis longtemps, elle aura trois ou quatre mioches, elle sera laide et grosse, et tu penseras plus à elle. C'est moi qui te le dis. Alors oublie ça ! De toute manière, si t'as une voiture, comme tu dis, tu te trouveras facilement une fille, je veux dire une autre fille, parce que les voitures, y a que ça d'important dans ces cas-là, tu sais bien.

— Je te crois pas. Tu dis n'importe quoi ! Zaéma sera jamais laide. Et tu verras, je l'aurai bientôt, ma voiture. Alors ce sera bien différent.

— Différent comment ? Les parents de Zaéma voudront jamais que tu la maries.

— Pourquoi pas ?

— Ta famille est pauvre.

— Moi, je serai riche.

— Comment tu feras ?

— Je vais aller en France. Là-bas, je vais gagner beaucoup d'argent.

— Mais comment tu feras pour aller en France ? La Frontière est surveillée par l'Ennemi. De toute manière, si tu réussis à passer et que tu te rends jusqu'à la Mer, t'es sûr de pouvoir traverser ? Et si tu arrives un jour là-bas, t'es sûr de pouvoir revenir ? »

Slimaann est mon ami, mais à ce moment-là, je l'ai détesté comme j'avais jamais détesté quelqu'un. Je me suis levé et je suis parti sans le saluer. Je comprends pas pourquoi il est pas de mon avis. Il pourrait au moins m'encourager, me soutenir, m'aider.

Je sais bien que ce sera difficile de me rendre là-bas, et sûrement autant de revenir. Je suis le premier à m'en rendre compte. Mais si j'essaie pas, comment savoir si c'est possible ou non ? J'ai pas envie de penser à tout ce qui peut m'empêcher de réussir. J'ai juste envie de penser à Zaéma.

Ma belle et précieuse Zaéma, quand tu es près de moi, je me sens comme celui qui meurt de soif et qui contemple une source. Des fois, quand tu me parles, je t'entends pas, tellement je suis occupé à remplir mes yeux de ton image. Des fois j'arrive plus à te parler, tellement ça me gêne que tu sois aussi belle, et que tu m'écoutes aussi bien, moi, Abram, alors que je suis pas riche et pas important, pas encore en tout cas. Des fois je me dis que, peut-être, tu es trop belle pour moi, peut-être même que tu es trop belle pour n'importe qui… Comme la fille dans l'histoire, tu te rappelles ? La petite princesse qui attend toute sa vie qu'un héros vienne la chercher et qui meurt toute seule et toute triste dans sa tour. Mais heureusement, ces doutes-là, ça dure pas. Je me rappelle tout de suite ce qu'on s'est dit, ce qu'on s'est juré, toi et moi. Alors t'en fais pas ! On va pas renoncer à notre rêve juste parce que les autres y croient pas. De toute manière, faut pas compter sur eux pour nous rendre heureux. Ils pensent pas à ça. Ils sont trop occupés à oublier leur vie merdique.

Le village et la maison

Ce matin, j'ai entendu Adam, le petit garçon qui vit en face de chez moi ; il parlait dans la rue sous ma fenêtre avec son père :

« Pourquoi le ciel est rouge, là-bas, papa ?

— Parce que de l'autre côté des collines, dans le Désert, le vent a soulevé un grand nuage de sable qui cache le soleil.

— Mais pourquoi c'est rouge ?

— C'est sûrement que le sable est rouge dans ce coin-là du Désert. Un grain de sable, ça laisse un peu passer la lumière, et en même temps ça lui donne sa couleur.

— Ah… Est-ce que ça va venir jusqu'ici ?

— Je crois bien. Si le vent continue à souffler vers le village, ce soir le sable sera là. »

∾

L'année dernière, à la fin de l'été, y a un nuage de saute-relles qui est arrivé tout d'un coup sur nous, comme une tempête. Y en avait tellement dans le village et autour qu'on pouvait pas s'empêcher de marcher dessus, même en voulant les éviter, et ça faisait un bruit sec comme quand on craque une allumette. Quand une voiture roulait dans la rue, ça sonnait comme une mitraillette qui tirait des balles de papier. Une tempête de sable, avec le vent brûlant qui vient du Désert, c'est un peu comme les sauterelles. Je veux dire, on peut pas faire semblant que c'est pas là, ça prend toute la place.

C'est pas comme la neige. Ça, c'est inoffensif (j'aime bien ce mot-là), ça dérange personne, même que ça met tout le monde de bonne humeur, comme s'il fallait juste que le décor de tous les jours change un peu pour qu'on le regarde d'une autre manière. Tout à coup on peut le trouver beau comme une chose neuve. Mais au fond y a rien de changé.

L'hiver où y a eu la guerre, un matin qu'on se rendait à l'école, Zaéma et moi, il s'est mis à neiger. Je me souviens très bien, c'était bizarre, le soleil brillait dans un coin du ciel, et autour de nous de gros flocons blancs tombaient lentement en tournant dans les rayons. Ils étaient tellement légers, tellement délicats que des fois, par petits coups, ils remontaient vers le ciel, comme pour gagner un peu de temps, pour tout sentir, tout vivre comme il faut avant de disparaître. C'est ce que je ferais, moi, en tout cas, si j'étais un flocon de neige, et que j'avais la chance de regarder un peu le monde d'en haut, une fois, avant de mourir.

C'était trois ou quatre jours avant la bataille. L'Ennemi s'était regroupé sur les collines après avoir attaqué la ville et tous les villages de la vallée. Il attendait Dieu sait quoi avant de s'en prendre à nous. Peut-être qu'il espérait qu'on meure tous de peur. C'est une bonne façon d'économiser les balles et les grenades… En tout cas, on savait qu'il était là et on se préparait au pire en continuant à vivre comme on pouvait.

Pour pas rester sans rien faire, les hommes creusaient des trous. Ils appelaient ça des tranchées, et c'était long et large comme des tombes. Ils enterraient aussi des tas de mines qu'un de nos hommes avait ramenées de la ville. Y en a encore plein qu'on a pas retrouvées, et comme plus personne sait exactement où elles sont, alors y a des endroits autour du village où on a plus le droit d'aller jouer, par exemple près du ruisseau et sur l'ancien terrain de foot. Ça pourrait exploser juste en dessous et nous arracher les jambes. Je connais personne qui prendrait le risque d'y aller quand même, juste pour voir.

Malgré tout ça, ce jour-là où il a neigé, tout le monde souriait et s'arrêtait à cause des flocons blancs qui tombaient lentement, sans se presser, et qui obligeaient aussi à ralentir, à s'arrêter pour les regarder tomber, comme si c'était devenu tellement simple de vivre qu'il fallait juste regarder la neige pour sentir qu'on était encore en vie… et pour croire que la guerre viendrait pas jusqu'à nous, qu'elle pouvait pas venir tellement c'était beau, les flocons, dans la lumière du matin.

Y a des images comme celles-là qui nous restent dans la tête et qui reviennent souvent. C'est comme si, ce jour-là, on avait vu un truc aussi rare qu'un miracle. Et même si on sait qu'on a pas rêvé, on ose pas y croire complètement. Surtout que les autres, quand on leur raconte, ils s'imaginent qu'on invente, ou bien ça leur paraît pas possible, ou encore ça les impressionne pas du tout, et dans tous les cas ils nous tournent le dos en haussant les épaules.

Mais c'est pas des histoires qu'on se fait dans sa tête. Au contraire, on se dit qu'on est plus que chanceux, qu'on est béni d'avoir été là pour voir ce qu'on a vu, même si ça se raconte pas facilement. C'est pas comme si on disait à ses potes : « Ce matin j'ai vu une voiture neuve » ou : « Cette nuit, il a venté fort », ou d'autres trucs de ce genre-là qui changent rien à la vie de personne. Non, c'est pas juste des histoires, c'est des sentiments. C'est des choses qui continuent à vivre en nous et qui nous changent. Même si les autres veulent pas y croire.

En y repensant, je me dis que c'est vrai aussi pour les images qui font faire des cauchemars. Sauf que celles-là, tout le monde sait tout de suite qu'on les a pas inventées. On dirait qu'on sympathise plus avec la douleur des autres qu'avec leurs joies.

∾

À chaque tempête, mon père dit : « On ne s'habitue jamais au sable. » Il aime pas qu'on brise sa routine, et c'est sûr, une tempête, ça change pas mal les plans de la journée, surtout une vraie grosse, parce qu'alors on peut pas du tout sortir. Ça pardonne pas, on en a partout, dans la bouche, dans le nez, dans les yeux, et même si on se protège bien la tête, on en respire des tas et ça nous étouffe, et en plus on voit pas à un mètre devant, alors comment trouver son chemin ? On sort juste si c'est absolument nécessaire. Les adultes je veux dire, parce que les jeunes, dans les vraies grosses tempêtes, c'est sûr qu'on leur permet pas, en admettant que ça leur vienne, d'avoir l'idée de sortir avaler du sable. Dans ces cas-là, tous les parents du village répètent à leurs enfants le même proverbe : *Sortir dans la tempête, c'est abandonner sa maison.* Ils ont peur qu'ils se fassent avaler par le sable et qu'on les retrouve plus.

C'est déjà arrivé à un garçon du village, en tout cas c'est ça qu'on raconte. Il est sorti pendant que dehors y avait la tempête, et on l'a jamais revu. Mais on nous dit pas pourquoi il est sorti, et je suis sûr moi que tous les garçons du village qui ont entendu cette histoire-là se sont posé la question. C'est clair, il devait avoir une très bonne raison, et ce serait bien de la connaître, pour savoir s'il a eu raison de sortir quand même qu'y avait la tempête.

Je peux pas jurer que cette histoire-là est vraie. On sait bien que les adultes inventent une foule d'histoires juste pour nous faire peur, pour qu'on soit plus obéissants, plus dociles. Quand même, je me demande souvent où il est passé, le garçon disparu. Je me demande jusqu'où il s'est rendu, comment il a trouvé son chemin dans le Désert et dans la Montagne, et s'il a réussi à passer la Frontière. Et après, de l'autre côté, qu'est-ce qu'il a fait ? C'est plus un enfant : c'est un homme maintenant, s'il est pas mort.

Nos parents veulent nous faire croire qu'il lui est arrivé quelque chose de terrible, qu'il a été enseveli sous les dunes et qu'on trouvera jamais son corps, ou alors qu'on trouvera que des os tout blancs, comme les os de chèvre que le professeur nous a montrés à l'école et qui étaient blancs comme de la neige, parce que, qu'il a expliqué comme pour nous prévenir : « Le sable et le vent du Désert n'ont pas de pitié pour ceux qui se perdent dans la tempête. »

Malgré tout, je me dis que c'est possible que tout le monde se trompe, même si tout le monde croit avoir raison. Oncle Moussa dit souvent qu'il suffit pas de croire qu'on possède la vérité pour que ce soit vrai. Parfois on se trompe sans le savoir, et c'est seulement une fois qu'on découvre la vraie vérité qu'on s'aperçoit de son erreur, même si on disait et pensait comme tout le monde, en étant bien sûrs de dire la vérité.

Moi j'aime bien croire que le garçon, il en a simplement profité, de la tempête je veux dire, pour s'en aller, pour sortir du village, du pays, parce qu'il en avait envie, tout simplement, parce qu'il en avait besoin, ou parce qu'il en avait marre de sa vie et de tout. Il a profité de la tempête pour réaliser un rêve qu'il avait. Peut-être qu'il est juste parti explorer le monde et qu'il reviendra un jour, quand plus personne l'attendra. Et peut-être qu'il sera riche et beau comme un prince. Alors tout le monde sera surpris et heureux de le voir. Tout le monde sera très fier de lui.

Quand les gens réussissent, on leur pardonne toujours d'avoir pris des risques, et même on les admire d'avoir osé faire ce qui est pas permis. Celui qui a tout risqué et qui a gagné beaucoup, on le voit comme quelqu'un de béni. On se dit que Dieu a récompensé sa foi et son courage. Alors celui qui revient riche dans son village, c'est sûr, pour les autres, il a eu raison de partir.

En tout cas, si on part sans le dire à personne, si on s'enfuit, si on se sauve, on est mieux de revenir avec de l'argent plein les poches, sinon ça vaut pas la peine, on sera toujours juste celui qui a eu tort de partir et on nous en voudra toujours un peu, et les autres, ils seront bien contents de voir qu'on est pauvre, qu'on a pas réussi, et ils seront sans pitié, et même ils seront cruels.

Mais si on revient bourré de fric, on nous pardonnera tout, et même on voudra être notre ami, on voudra savoir comment on a fait, on nous écoutera quand on parle, et on nous regardera avec des yeux pleins d'admiration et de respect.

∾

Les jours de tempête, comme aujourd'hui, c'est fou comme on s'ennuie. La dernière fois, ça a duré trois jours, je me suis assis près de la fenêtre et j'ai attendu tout ce temps-là que ça finisse, en regardant dehors pour voir si le vent se calmait.

C'est assez intéressant de regarder les gens qui se battent contre le vent et le sable. Parce qu'y en a toujours qui sortent quand même. J'imagine qu'ils ont pas le choix. C'est sûrement pas une promenade pour cueillir des fleurs. Ils réussissent à avancer de deux ou trois mètres entre deux rafales, et quand ça recommence, ils s'abritent derrière une voiture, si y en a une, un coin de maison, des poubelles, même un pot à fleurs s'il est assez gros, derrière tout ce qui peut les protéger un peu du vent et du sable, et ils avancent comme ça d'un abri à un autre en se cachant le visage avec les mains. Quand une grosse rafale les surprend au milieu de la rue, ils tournent le dos à la tempête qui tire sur les vêtements comme pour les déchirer. Ils attendent que ça passe, et je suis sûr qu'ils font une petite prière à ce moment-là, parce qu'y a rien d'autre à faire et qu'on sait jamais. On sait jamais ce qui peut arriver au milieu de la tempête. Y a rien de garanti.

Ça me fait penser à ce que j'ai vu le jour de l'attaque. Ce jour-là, par la fenêtre de ma chambre, j'ai vu des hommes armés qui descendaient la rue vers le Nouveau Cimetière. J'en ai compté dix. J'ai pas reconnu leurs visages, parce que c'était l'aube et que la rue était dans l'ombre, mais d'autres m'ont dit plus tard que c'étaient des hommes du village. Ils avançaient de la même façon que ceux qui sortent dans la tempête, lentement, comme quand on sait pas ce qui nous attend mais qu'on avance quand même, malgré la peur. Oncle Moussa dit que c'est normal d'avoir peur quand on ignore ce qui est devant nous et qu'on peut craindre le pire. Alors j'imagine que les dix soldats qui faisaient la guerre juste sous ma fenêtre, ils profitaient des moments où ils étaient protégés par le coin d'une maison, par une voiture, par des sacs poubelles ou des pots à fleurs, pour faire une prière, juste quelques mots rapides, tellement rapides que les lèvres ont pas le temps de bouger. Ils devaient murmurer : « Seigneur Dieu, béni sois-Tu, éloigne de moi la peur, donne-moi le courage d'aller jusqu'au bout, protège mes enfants, protège mon village, protège-moi, amen. »

Tout à coup, ils se couchaient sur le ventre en pointant leurs armes devant eux. On aurait dit qu'ils surveillaient la rue plus bas, sûrement des soldats ennemis que je voyais pas parce qu'ils étaient trop loin ou qu'il faisait trop sombre. Ceux-là aussi devaient prier Dieu de les aider.

Nos hommes attendaient. Ils étaient nerveux, c'était évident. Ils regardaient partout, comme si le danger était pas juste devant eux. Ils faisaient penser à des chèvres qui devinent qu'on va les égorger. Puis y en a un qui faisait un signe et ils se levaient tous d'un coup et ils se lançaient dans le vide de la rue, jusqu'à un autre endroit plus ou moins protégé. Alors ils se recouchaient avec leurs armes pointées devant. Ils ont recommencé ce manège-là plusieurs fois. Finalement, je les ai perdus de vue. Cinq minutes plus tard, j'ai entendu plusieurs coups de feu, des rafales comme on dit, comme si le vent soufflait des balles, puis j'ai plus rien entendu.

La bataille a pas duré longtemps, même si on a tous eu l'impression qu'elle s'éternisait. Le village a été attaqué quand le soleil se levait. Y a des gens qui dormaient encore. À midi, c'était fini.

Après la bataille, y a des habitants du quartier qui ont fini par se décider à sortir, pour aller voir ce qui se passait dehors. Alors on a su que plusieurs de nos hommes étaient morts. Puis qu'y en avait d'autres, à peu près une centaine, qui avaient réussi à s'enfuir dans le Désert en passant derrière le village, par le chemin des chevriers.

On a trouvé dix soldats, je veux dire dix soldats morts, au bout de la grande rue. Des hommes du village. Avec leurs corps tout troués de balles, dans une grande flaque de sang encore frais.

J'ai pas posé de questions, c'était inutile. Je suis sûr que c'étaient les soldats que j'ai vus combattre ce jour-là, sous ma fenêtre, presque devant moi, et qui avançaient tête baissée, comme des hommes dans la tempête. Ils savaient sûrement qu'ils allaient mourir, ça devait leur paraître évident. Mais ils avançaient quand même, même s'ils avaient pas envie de tuer ni de mourir, même s'ils avaient peur. Comment je pourrais oublier leur courage ? Cette image-là, elle restera pour toujours gravée dans ma tête. Je me mets à leur place et je comprends, en tout cas je pense que je peux comprendre, ce que ça veut dire d'avancer et d'avancer encore, quand c'est pas raisonnable de continuer. Parce que si on s'arrête, si on se dit : *J'en suis pas capable, c'est trop ! Je veux pas mourir !* alors on vivra dans la honte de pas être allé jusqu'au bout, d'avoir manqué de courage, d'avoir choisi le chemin le plus facile, alors que les autres, eux, ont osé agir comme des hommes. Alors même si on voudra oublier, et vivre comme avant, on pourra pas, y aura toujours une voix, grave et profonde comme la voix de Dieu, qu'on écoutera malgré nous, une voix qui nous parlera sans arrêt, jusqu'à ce qu'on pète les plombs, une voix qui nous rappellera ce qu'on a fait ou plutôt ce qu'on a pas fait, et on entendra toujours que cette voix-là dans sa tête, comme si on était fou. Alors c'est sûr, la vie, elle sera impossible.

C'est pour ça que je pense souvent à ces hommes-là qui sont morts au bout de ma rue, devant ma maison, presque devant moi. Ils savaient qu'ils allaient mourir, ils avaient peur. Mais ils avançaient quand même. Et je me dis que ces hommes-là qui sont morts pour sauver le village, pour sauver le pays, même s'ils ont pas réussi, même s'ils pouvaient pas réussir et qu'ils le savaient, eh bien, ils sont morts pour quelque chose de grand, je veux dire pour quelque chose qui vaut la peine qu'on meure. Parce que si on vit avec dans le cœur le sentiment qu'on a été lâche, qu'on a pas osé faire quelque chose de grand, un truc qui nous dépasse, un truc héroïque, quand il suffisait d'avancer, de se rendre au bout de la rue, de baisser la tête dans la tempête… alors on aura beau être en vie, ce sera tout comme si on était mort. En tout cas, le cœur, lui, il sera mort.

∾

Ce matin on a pu sortir enfin de la maison, la tempête est passée. Elle a laissé des tonnes de sable dans les rues. On dirait que le village a été déplacé pendant la nuit et qu'on vit maintenant dans le Désert. Et je parle pas de toute la poussière qui est entrée dans la maison. Va falloir balayer la cour, et la rue aussi. Y en a pour des jours. Encore une fois, mes sœurs voudront pas m'aider, parce que c'est trop dur, et mon père les laissera faire.

Après trois jours à la maison, ça m'a fait du bien de revoir les potes à l'école. Quand on reste trop longtemps dans sa chambre à attendre que ça passe, alors c'est sûr, on se met à penser, on réfléchit, et ça peut pas faire autrement, à la longue, on devient triste. Alors c'est fou ce qu'on a besoin de parler, de courir, de déconner, quand on peut enfin sortir. Mais aujourd'hui, on a pas fait la vie facile au professeur.

Comme tous les jeudis, c'était le cours de mathématiques. Les autres détestent ça, ils trouvent ça ennuyant. Je vois pas pourquoi, moi je trouve ça plutôt intéressant, c'est même une des matières que je préfère. Peut-être parce que c'est facile, peut-être aussi parce que les mathématiques, ça oblige à penser à rien, je veux dire à rien d'important. On peut calculer des trucs, les multiplier, les additionner et tout le reste, et pendant ce temps-là, la vraie vie est ailleurs. La douleur aussi.

En tout cas, les potes et moi on est d'accord sur un point : les mathématiques, c'est plus amusant que de réciter le Livre.

Aujourd'hui, le professeur a proposé un problème d'algèbre. D'habitude, y en a toujours un tas dans la classe qui pigent rien. Heureusement pour eux, le professeur prend bien son temps, faut lui donner ça. Il est patient pour ces choses-là. Surtout, il essaie de bien choisir ses exemples. Aujourd'hui, justement, il a vraiment bien choisi, et tout le monde a fini par piger. Il nous a montré une formule où y avait une variable, c'était la variable x. Y a pas de formule plus simple, c'est juste pas possible. Il a commencé en disant : « Imaginons que x est une voiture… » Tout de suite on s'est regardés, on a voulu savoir quelle marque de voiture c'était, et aussi la couleur.

Amir a levé la main et l'a demandé au professeur. Lui, d'abord, il s'est un peu fâché et il a dit que ç'avait pas d'importance et il a continué à écrire son problème au tableau. Nous, quand on l'a entendu dire ça, on a un peu sursauté. Je veux dire : c'est pas un détail inutile, la marque et la couleur, quand on choisit une voiture. C'est pas un objet comme un autre, qu'on peut prendre comme ça, au hasard, sans y penser d'avance ; y a des conséquences, des obligations. De toute façon, si on veut que l'exemple soit clair, et surtout si on veut qu'il nous reste dans la mémoire, il faut bien le voir dans sa tête. Alors si on multiplie des voitures, ça nous prend la marque et la couleur.

En se retournant, il a bien vu, le professeur, qu'on était déçus et qu'on lui faisait un peu la gueule. Il nous a regardés sans rien dire, il avait l'air étonné. Je crois qu'il se doutait pas de l'importance que ça a pour nous, un truc comme celui-là. Faut dire aussi que trois jours sans école, ça nous avait rendus plus attentifs que d'habitude aux détails.

Finalement, il a souri, et il a dit : « Ce sont des Mercedes, les gars, de grosses Mercedes neuves toutes propres, avec des roues brillantes et des vitres teintées… électriques, et je vous laisse choisir la couleur. »

Alors on s'est regardés, on s'est demandé quelle couleur il fallait choisir. On s'entendait pas : y en avait qui la voulaient noire, d'autres qui la voulaient argentée, comme dans le film *L'argent volé* ; moi je la voulais rouge. Quand il a vu ça, le professeur a levé la main pour avoir le silence, et quand tout le monde a cessé de gueuler sa couleur préférée, il a conclu : « C'est une voiture noire, les garçons, la voiture d'un patron de la ville. » Toute la classe a trouvé que c'était une bonne idée, alors on a pu faire l'exercice. Et je suis sûr qu'on avait tous dans la tête une image bien claire de la voiture, je veux dire la même image. Pendant quelques secondes, on a tous rêvé de ça, on se voyait riches et heureux, on se disait : *Le patron dans la voiture, c'est moi, c'est ma voiture,* et notre cœur a battu plus vite.

∾

L'année dernière, juste avant le congé d'été, je sais pas où il a pris cette idée-là, mais le professeur nous a présenté quelques métiers, en nous avertissant : « Soyez bien attentifs, il faudra bientôt choisir. » Ça peut être intéressant, qu'il a expliqué, de savoir un peu mieux ce que fait le ferblantier, le menuisier, le boulanger, le mécanicien, le boucher…

Peut-être. Mais ça change pas qu'on sait tous déjà que chacun prendra le travail de son père. Je vois pas comment on peut faire autrement, à moins d'aller travailler ailleurs. Les camarades et moi, on rêve d'autre chose que d'un métier. Les métiers, c'est pas payant et c'est chaque jour la même chose. Alors non seulement on reste pauvre, mais en plus on s'épuise et on s'ennuie. En tout cas, c'est l'impression qu'on a quand on voit nos pères, le soir, revenir du boulot.

Son métier, à mon père, c'est de fabriquer des ustensiles de cuisine, des casseroles, des plats, des cuillers. Il fabrique tout ça avec des vieux morceaux de ferraille qu'il transforme, en particulier des vieux barils d'essence. À la fin, c'est du métal tout mince et tout neuf qui brille comme de l'argent.

Tout le monde le dit, c'est un des meilleurs artisans de la région. Ils ont aucun problème, à l'atelier, à vendre tout ce qu'il fait, même que tout est souvent vendu avant qu'il ait fini, et des fois avant qu'il ait commencé. Y a même des clients qui viennent de la ville pour passer des commandes. Ses patrons et ses compagnons le respectent beaucoup pour ça. Mais ce qui fait que tout le monde admire autant son travail, c'est qu'il prend toujours le temps de graver un verset du Livre sur les pièces qu'il fabrique. C'est toujours le même : « Les fidèles vaincront. » Les gens disent qu'y a pas meilleur graveur que lui, et qu'un talent comme celui-là, ça peut pas être autre chose qu'un don de Dieu.

C'est un peu à cause de son talent que mon père, quand il parle, on l'écoute – surtout qu'il ouvre pas souvent la bouche. Des fois, les jours de repos et de prière, y a des gens qui viennent le rencontrer à la maison, juste pour se confier à lui, lui demander conseil. Lui, il les écoute avec bienveillance, sans les juger ni les regarder de haut. Quand ils le remercient de les recevoir, il répond seulement : « On doit aider son prochain. » Quand ils ont fini, il réfléchit un peu, puis il prononce quelques mots, lentement, pour qu'ils comprennent bien. Il cite le Livre, toujours les mêmes versets, et eux ils écoutent puis ils repartent contents, et avant de sortir ils lui disent, en lui prenant les mains : « Que Dieu te bénisse et qu'Il bénisse ta famille ! »

J'aimerais pouvoir lui parler, à mon père, comme ceux qui viennent le voir, les jours de repos et de prière, et avec qui il prend tranquillement le café dans le salon. Je voudrais pouvoir lui confier ce que je pense sans qu'il s'impatiente, sans qu'il m'interrompe ou me rappelle que je suis pas encore un homme, qu'il est toujours mon père et que, jusqu'à ce qu'il ait décidé du contraire, ce sera toujours à lui de me dire quoi et comment penser.

Mais j'écoute plus depuis longtemps. J'écoute plus parce que c'est inutile. Je connais par cœur toutes ses phrases. Il répète toujours les mêmes depuis que j'ai des oreilles pour entendre. Pourtant, on pourrait se parler d'homme à homme. Y a plein de trucs que je pourrais lui raconter, juste pour qu'il les entende et que je sache ce qu'il en pense. Y a tellement de choses que je voudrais savoir et qu'il pourrait m'apprendre, peut-être. Mais j'ose rien lui demander. Je sais qu'il me répondrait sur un ton que je supporterais pas, qu'il me ferait la morale, me laisserait pas aller jusqu'au bout de ma pensée, et se dépêcherait de me juger avant que j'aie fini.

C'est dommage, quand même, parce que je vois pas qui d'autre pourra m'expliquer certains détails pas clairs, si c'est pas lui. On a qu'un père, non ? Et si un père montre pas à son fils à être heureux, alors qui le fera ?

Qui d'autre pourra lui montrer, à ce garçon, comment on réussit à vivre malgré tout ? Je veux dire malgré toutes les choses graves qu'on voit pas tant qu'on est encore un enfant, mais qu'on découvre tout à coup, un jour, dans une sorte d'éblouissement, comme si la lumière pénétrait nos yeux pour la première fois, et qu'on peut pas comprendre tout seul tellement ça oblige à se poser des questions difficiles : *Pourquoi on vit ? Pourquoi on meurt ? Pourquoi y a la guerre ? Pourquoi on souffre ? Pourquoi on se laisse faire, hein ?*

Je parle de ces choses-là qu'on explique jamais aux garçons, comme si on osait pas nous déranger dans nos illusions, ou si on aimait mieux qu'on s'aperçoive de tout ça, de la vérité, un jour, tout seul, dans la solitude et la douleur.

∽

Je rêve qu'un jour je me promènerai tranquillement dans la rue… Alors ceux qui me verront se diront entre eux, en se parlant tout bas et en se donnant des coups de coude : « Regardez là-bas, c'est Abram, le fils de son père et de sa mère, vous savez, celui qui est revenu l'autre jour dans sa belle voiture neuve. Vous avez vu comme il a l'air heureux, comme il a le front épanoui, comme il sourit tout le temps ? » Alors ils diront tous ensemble, quand je les saluerai poliment en soulevant mon beau chapeau neuf : « Que Dieu te protège ! Et qu'Il protège ta famille ! »

Je sais pas si mon père est capable de me regarder directement ou s'il peut juste regarder à travers moi, comme si j'étais un grain de sable que la lumière traverse. Quand il me regarde, je suis sûr que c'est pas tout à fait moi qu'il voit, je veux dire moi, Abram. Pas le petit Abram, poli et obéissant, qui accepte tout sans se plaindre, non. Je parle de cet Abram qui grandit secrètement en moi, celui qui réfléchit, qui comprend pas tout, bien sûr, mais en tout cas assez pour être en désaccord avec la vie et pour en avoir marre. L'Abram qui écrit tout ce qu'il pense, ici, maintenant, dans un cahier, parce qu'il arrive plus à se taire.

Mon père, quand il pense à la vie, à ce que ça représente de se retrouver sur la terre, dans notre pays, dans notre village, je sais qu'y a des images du passé qui apparaissent dans sa tête et qui sont comme des murs peints qui empêchent de voir le monde autour. Des images comme celles qui sont dessinées sur les vieilles cartes à jouer qu'on se passe de père en fils, depuis des siècles, dans chaque famille. Y a des personnages pleins de couleurs, avec des vêtements brillants comme de la poussière d'or, des chameaux qui forment d'immenses caravanes qui s'étirent à l'horizon dans le Désert, peuplé de légendes et de héros. Y a des hommes qui ont un air grave et un peu triste, qui craignent et qui servent Dieu, et que Dieu protège. Des hommes purs et sages, sans péché. Sans pitié, non plus. Et qui sont prêts à tout sacrifier pour que le monde reste éternellement le même.

Ces images-là, des milliers et des milliers d'hommes les ont vues avant lui. C'est sûrement plus simple et plus facile de se représenter le monde comme ça, déjà tracé, déjà dessiné, déjà colorié, déjà décidé. On a pas besoin d'inventer de nouveaux visages, ni de nouveaux décors, ni de nouvelles histoires. Ça évite de se casser la tête, et sûrement le cœur aussi. Mais y a rien de noble et de grand dans cette vie-là. C'est la vie d'une chèvre au milieu d'un troupeau.

∾

Si j'écris tout ça, c'est pas seulement parce que je m'ennuie, le soir, dans ma chambre, quand je devrais dormir et que j'ai pas sommeil. Pour passer le temps, j'écris dans un des cahiers que m'a donnés oncle Moussa pour mon douzième anniversaire.

Au début, j'ai pas compris que ça pouvait servir à autre chose qu'à copier des phrases qui m'appartenaient pas, et je les avais rangés sous mon matelas. Mais là, je vois bien qu'on peut s'en servir autrement.

Par exemple, je peux raconter mon histoire, ou décrire les choses que j'observe autour de moi, ou simplement noter ce que je pense de la vie et du monde et de tout le reste. Et même, je me dis que ça pourrait être utile qu'ils sachent : je parle de ceux-là qui vivent la tête baissée, comme si c'était interdit de juste regarder. Qu'ils sachent pourquoi j'ai fait ce que j'ai fait. Pour qu'on comprenne que je suis pas juste un enfant fou qui a pas écouté ses parents, et qui est sorti quand même qu'y avait la tempête. Peut-être qu'ils voudront pas lire mon cahier, non plus. Ils penseront : *On a déjà tout compris.* Et peut-être qu'ils voudront le détruire, ou le jeter à la poubelle, ou les deux, et ils en reparleront plus.

Quand on sait qu'on a raison, on veut même pas savoir pourquoi l'autre, eh bien, il a pas fait comme tout le monde, pourquoi il a voulu prendre un autre chemin, pourquoi il a voulu vivre autrement. On sait qu'il a eu tort, qu'il a mal agi. C'est évident et tout le monde le sait sans avoir à y penser. Alors on le plaint un peu en parlant de lui, parce que tout le monde le plaint un peu, mais c'est juste pour montrer qu'on a du cœur, même si l'autre mérite pas notre pitié. Surtout on espère en silence qu'il souffrira beaucoup, d'avoir osé en faire qu'à sa tête.

Je voudrais pas qu'on parle de moi aux enfants, ni à personne, comme de quelqu'un qui a eu tort, qui s'est trompé. Ce serait dommage qu'on raconte mon histoire dans les écoles et qu'on conclue, sur un ton grave : « Oubliez jamais ! Le petit Abram a pas été obéissant, il a pas été sage. Rappelez-vous qu'il est sorti, quand même qu'y avait le sable et le vent, alors que le sable et le vent, vous savez bien, ça pardonne pas. Mais il est sorti, le pauvre fou ! quand ses parents lui avaient répété mille fois qu'on sort pas dans la tempête. Il savait ça aussi bien que vous, le petit Abram. Dieu ait son âme ! » Et tout le monde hocherait tranquillement la tête comme pour dire : *Oui, on voit bien qu'il était fou.*

Je veux plutôt qu'on raconte aux enfants, et à tous les autres, que moi, Abram, le fils de mon père et de ma mère, j'ai eu le courage de partir au milieu de la tempête, mais qu'il faut pas s'en faire, parce que je reviendrai un jour, bientôt, quand je serai riche. Parce que oui, un jour je serai riche et je roulerai dans une belle voiture neuve, comme on en rêve quand on est pauvre. Je reviendrai. Parce que c'est écrit là-haut dans le ciel. Et que je l'ai promis à Zaéma.

Ce jour-là, je pourrai leur dire, à tous, surtout à ceux qui rêvent à rien, jamais, ceux qui vous sermonnent en râlant : « Tu perds ton temps, c'est inutile, y pense plus… » Je pourrai leur dire, comme quelqu'un qui le sait parce qu'il l'a vécu, que c'est possible de survivre à la tempête, que c'est même plutôt facile quand on réfléchit bien et qu'on ose essayer. Je suis sûr que ça les intéressera. Ils comprendront qu'ils ont tort d'avoir peur. Et ils relèveront la tête pour regarder le monde avec leurs propres yeux… Mais bon, je gagerais pas là-dessus. Les peureux sont têtus.

∾

Je pense encore au petit Adam. Quand il parlait à son père, l'autre matin dans la rue, sous ma fenêtre, il m'a fait sourire. Son père venait de lui expliquer qu'à cause du vent, le sable serait là avant la nuit. Il a répondu : « Mais papa, pourquoi faut aller à l'école alors ? Est-ce qu'on pourrait pas plutôt jouer dans la ruelle en attendant la tempête ? » J'ai souri parce que je me rappelle avoir posé la même question à mon père quand j'avais le même âge. Et je trouve toujours que c'est une excellente question.

Adam aurait aimé que son père lui réponde qu'il avait bien raison, qu'il fallait pas se rendre à l'école ce jour-là, que les classes étaient annulées à cause de la tempête qui s'en venait. Et surtout qu'il pouvait passer la matinée avec ses amis dans la cour ou dans la ruelle ou sur la place près de la fontaine, en attendant le sable. Parce que lorsque la tempête est violente et qu'elle dure plusieurs jours, on nous empêche tout ce temps-là d'aller jouer dehors. On doit rester enfermés dans nos chambres, à regarder dehors, en attendant que ça passe. Et rester tout seul dans sa chambre, pendant des jours, à regarder dehors, quand on a six ans comme Adam et que toute la vie tient dans un seul jour avec ses potes, c'est une vraie punition. Pour pas dire une torture. Ça donne l'impression qu'on nous en veut que la tempête souffle.

Alors j'ai attendu moi aussi la réponse de son père. Mais il a gardé le silence, et Adam a pas insisté. Faut pas être surpris par ce silence-là. Le mien aussi avait refusé de répondre. Dans notre pays, les enfants apprennent vite à pas insister. Ça les empêche pas de désirer un paquet de choses.

Le petit Adam m'a aussi fait penser à mes amis. Ça sera pas évident de me passer d'eux quand je serai loin du village. Des amis, ça se fait assez facilement quand on est pas trop nul, et on peut en avoir plusieurs. Mais ça veut pas dire grand-chose. En tout cas, ça dit pas quelle sorte d'amis c'est. Ça peut bien être des amis qu'on salue dans la cour d'école ou dans la ruelle, qu'on veut bien prendre dans son équipe quand on est capitaine au foot, ou avec qui on échange des billes. À ces amis-là, on dit pas adieu avant de partir.

Mais les mecs... Avec eux, je sens que j'ai ma place quelque part, que je suis pas jugé, qu'ils me prennent comme je suis. Je veux dire : on aime et on déteste les mêmes trucs, on a pas à se parler tout le temps pour se comprendre, on arrive à deviner ce que les autres pensent juste par habitude, parce qu'on se connaît comme des frères. Slimaann, Yaassir, Doori, Saarid et les autres, j'espère que j'aurai le temps de vous parler comme il faut, pas juste de vous dire deux mots en vitesse dans la cour d'école, mais de vous réunir dans le vieux cimetière et de vous dire d'une voix grave et solennelle : « Les mecs, y a un truc que vous devez savoir... » Alors je pourrai prendre le temps de vous parler comme il faut, comme un homme parle à d'autres hommes.

Il faudra que je vous explique pourquoi je pars, pourquoi je dois partir, pour que vous compreniez et surtout pour que vous priiez pour moi. Aussi pour que vous ayez pas l'impression que j'ai pas pensé à vous quand je suis parti, pour que vous disiez pas des choses dures et cruelles comme : *Abram, il nous a rien dit avant de partir, et ça montre bien qu'on était pas importants pour lui, même s'il disait toujours qu'on était comme des frères.*

Je voudrais pas que vous racontiez ça, parce que c'est pas vrai. Ce qui est sûr, c'est que là-bas, en Europe, vous serez pas là pour m'aider, ni pour me conseiller, ni pour me consoler, si ça va pas aussi bien qu'il faudrait. Quand on a pas ses amis tout près, quand y a personne autour qui nous connaît parfaitement, vers qui aller si on se sent perdu ? Vous allez me manquer terriblement.

∾

Le silence, c'est un peu la manière de communiquer des pères du village. C'est leur manière d'affirmer qu'ils sont les chefs et qu'ils parlent seulement si et quand ils en ont envie. Par exemple, quand on a une rare conversation avec mon père et que, tout à coup, il est pas du tout d'accord avec nos idées, ou qu'il veut pas donner de raisons, ou qu'il en a juste marre de dire des choses inutiles, alors il s'arrête, parfois même au milieu d'une phrase. Il fait non de la tête deux ou trois fois. Il grimace avec ses lèvres. Puis il regarde le ciel ou le plafond en soupirant.

C'est un peu ridicule, quand on y pense, mais ça donne pas envie de rire. On sait qu'il va plus parler, et c'est comme s'il allait plus rien entendre non plus. Hava et moi, on est capables de deviner exactement à quel moment il va se taire, tellement on le connaît. Quand il arrive pas à se justifier, à expliquer pourquoi ceci, pourquoi ça, pourquoi oui, pourquoi non, pourquoi il veut, pourquoi il veut pas, quand il refuse de répondre aux questions simples qu'on pose quand on cherche à comprendre le sens des choses, c'est dans ces moments-là qu'il devient muet.

C'est comme s'il nous disait : *Que voulez-vous que je vous réponde ? C'est comme ça depuis toujours. C'est comme ça, et c'est tout. Il n'y a rien à comprendre, rien à expliquer. Il n'y a qu'à faire ce qu'on vous dit.* Moi, j'insiste pas trop. Je sais déjà comment il pense, mon père ; il est pas différent des autres pères du village, et son attitude me surprend jamais.

Quand même, c'est toujours un peu frustrant. Et des fois, c'est vrai, ça peut donner envie de se fâcher contre lui et de lui faire comprendre qu'y a des trucs qu'il défend qui tiennent pas debout. Mais, d'accord ou pas avec ses idées, j'oserais jamais lui manquer de respect, ni me moquer de lui. Il est certainement pas un héros, mais c'est un homme digne. Et je l'admire pour ce qu'il est.

∾

C'est oncle Moussa qui m'a appris ce mot-là : dignité. Et un tas d'autres mots nobles et importants, qu'on entend pas souvent par contre, et qu'on enseigne pas non plus à l'école, comme *espoir*, *sacrifice* et *courage*… Mais aussi des mots tristes et désespérants, comme *guerre*, *haine* et *ignorance*… Tous, ils nous permettent de nommer les trucs compliqués qu'on vit, qu'on observe, qu'on ressent, qu'on pense, et qu'on arriverait pas à comprendre, sinon. Ni à en parler.

J'essaie toujours de noter les mots nouveaux que j'entends. Ça m'aide à me souvenir. Et ça me donne l'occasion de réfléchir. C'est fou comme un seul mot peut transformer l'image qu'on se fait du monde.

Une fois, y a deux ou trois ans de ça, quand Hava allait encore à l'école, c'est tante Zaara qui m'a appris un mot qui valait la peine d'être noté. Elle voyait bien que ma sœur et moi, on était déçus de pas pouvoir discuter avec mon père. Ce jour-là, on voulait juste pouvoir écouter un peu la télé avant le repas du soir. Lui, il a refusé : « Non, allez faire vos devoirs. » On a répondu : « Mais papa, c'est congé demain. Maman, dis-lui que c'est congé demain. »

Ma mère nous a regardés, elle avait envie de répondre, mais finalement elle a haussé les épaules et ça signifiait : *Vous savez bien que ce n'est pas la peine.* Il avait lâché un « non » aussi définitif qu'une porte qu'on verrouille à double tour, il parlait plus, il faisait le sourd, comme à chaque fois. Alors on a serré les dents et on est allés faire nos devoirs. Mais on était vraiment fâchés contre lui.

Plus tard, après nos devoirs, quand on est sortis de nos chambres, tante Zaara nous a arrêtés alors qu'on passait dans la cuisine. Elle avait tout entendu, elle comprenait notre frustration. Mais elle a voulu nous expliquer pourquoi notre père est comme il est : « Pour un homme, qu'elle a dit, c'est une énorme responsabilité d'être le chef d'une famille. Votre père a appris à ne rien tolérer qui pourrait nuire à son autorité. C'est pour ça qu'il est aussi *intransigeant.* » C'est ce mot-là qu'elle a utilisé, tante Zaara. C'est un mot que j'entendais pour la première fois, mais maintenant que je le connais, je peux dire que je comprends mieux l'attitude de mon père et des autres pères du village.

Elle a aussi ajouté : « Consolez-vous en sachant que votre grand-père était encore plus intransigeant avec nous, ses enfants, et particulièrement avec votre père, qui était l'aîné. »

Ç'a m'a étonné, sur le coup. Encore plus intransigeant… ? Aïe ! Mon grand-père, je peux pas parler de lui, je l'ai pas connu, il est mort quelques mois avant ma naissance, que Dieu ait son âme ! Mais si tante Zaara dit vrai (et je vois pas pourquoi elle mentirait), alors mon père a pas dû s'amuser beaucoup, quand il était petit. Au fond, peut-être qu'il a toujours été aussi sérieux, aussi grave qu'aujourd'hui. Peut-être qu'il a toujours été un peu triste de jamais avoir appris à s'amuser. Parce que c'était peut-être pas permis, chez lui, de jouer naïvement comme font les gamins, et de rire, de déconner, de rêver aussi. Je parle de rêver, pas de simplement rêvasser comme un enfant triste.

C'est peut-être pour ça qu'il arrive pas vraiment à sourire, qu'il a pas souvent envie de parler, non plus. Quand on a pas appris à s'amuser, on doit se dire qu'il faut pas perdre son temps à imaginer ou à raconter des trucs juste pour le plaisir. J'imagine qu'on est même pas curieux de connaître les autres, de découvrir le monde, d'apprendre des choses nouvelles. On doit se dire que la vie, c'est pas fait pour le plaisir, que c'est plutôt fait pour remplir ses devoirs, pour se soumettre aux lois, aux traditions, et qu'il faut seulement savoir vivre et mourir sans déranger personne. Une vie de chèvre, quoi ! – sans la joie de se balader librement dans les collines.

C'est pour tout ça qu'il veut pas discuter, mon père. Il juge qu'il a pas à le faire. Mais surtout, on lui a enseigné le silence et l'intransigeance.

∾

Tante Zaara, tout le monde l'adore à la maison. Elle vit avec nous depuis que je suis tout petit, et on s'entend très bien, même que je dirais que je suis plus proche d'elle que de mes sœurs. Elle aide beaucoup ma mère à la maison, elle fait bien la cuisine, et c'est déjà assez pour se faire aimer, comme on dit. Elle est aussi très gentille, elle sourit tout le temps et ses dents sont très blanches. En plus, elle est super intelligente, elle est allée longtemps à l'école, en tout cas pour une fille, et elle comprend un tas de trucs que même mes amis pigent pas.

Je me suis demandé longtemps pourquoi elle était pas mariée. Mais j'étais gêné de lui en parler, parce que c'est très personnel. Puis, un jour, j'ai osé lui poser la question, et je me rappelle parfaitement sa réponse. Même que j'y repense souvent.

« Pourquoi t'es pas mariée, tante Zaara ? Tu es super jolie pourtant, tout le monde le dit.

— Tu es gentil, Abram. (Elle a souri.) Mais ça ne suffit pas d'être jolie pour le mariage.

— Quand même, c'est essentiel, non ?

— Non. (Elle souriait encore.) Ce n'est pas du tout ce qu'il y a de plus important. Un mariage, c'est d'abord une alliance entre deux familles.

— Oui, je sais ça, mais faut bien que ça serve à quelque chose de plus, non ?

— Tu as raison, on se marie aussi pour avoir des enfants.

— Et toi, tu voulais pas d'enfants ? »

Elle est devenue triste tout d'un coup, comme quand le soleil est caché par un grand nuage noir. Ses yeux se sont mouillés et son sourire a disparu.

« Si tu savais… J'aurais tout donné pour en avoir. »

Je voyais bien que je l'avais blessée, et j'allais m'excuser, mais j'ai pas eu le temps de dire deux mots qu'elle a rajouté : « T'en fais pas, Abram, tu pouvais pas savoir… » Alors j'ai compris que c'était pas la peine, elle m'avait déjà pardonné. C'est elle qui a continué :

« J'ai été mariée, déjà. Y a longtemps.

— Vraiment ? Je savais pas. Mais où il est, ton mari, maintenant ?

— Je l'ignore. Il a quitté le village, je crois qu'il s'est remarié.

— Je comprends pas.

— Nous avons divorcé.

— Vraiment ? Mais pourquoi ?

— Il ne voulait plus de moi.

— Comment c'est possible ?

— Je ne peux pas avoir d'enfants. »

C'est vrai qu'on entend parler de maris qui rejettent leur femme à cause de ça, même si c'est assez rare. Mais ça m'a fait de la peine de savoir que tante Zaara était une de ces femmes-là. J'ai voulu dire quelque chose de bien, des mots de réconfort, pour la consoler :

« Moi, à sa place, je t'aurais gardée quand même.

— Tu es gentil, Abram, qu'elle a répondu en retrouvant son sourire. Mais c'est simplement la coutume. On n'y peut rien. »

∾

Je disais à ma mère, y a pas très longtemps, que j'admirais vraiment oncle Moussa d'avoir le courage de mettre sa vie en danger, pour les autres, pour la Religion, pour le pays. Je lui disais aussi qu'il faudrait peut-être que je fasse un jour comme lui et que j'aille dans la Montagne rejoindre l'Armée de Dieu pour combattre l'Ennemi, si jamais la guerre continuait à la Frontière. J'étais qu'à moitié sérieux. Je voulais juste voir ce qu'elle dirait, j'étais curieux de sa réaction. J'ai des idées bizarres comme celle-là ces temps-ci. J'essaie de voir l'avenir, de me voir, ici ou là, en train de faire un truc ou un autre. Je passe beaucoup de temps à penser aux conséquences. Par exemple, j'imagine comment ce sera sans moi, à la maison, quand je serai parti. Je me demande si je vais leur manquer, s'ils vont penser à moi, s'ils prieront pour moi, pour que je revienne sain et sauf, et riche, ou si la vie continuera comme avant, comme s'ils avaient pas remarqué que j'étais parti, ou plutôt comme si j'avais jamais été là, comme s'ils m'avaient complètement effacé de leur mémoire et chassé de leur cœur.

On peut pas dire que ma mère a bien réagi à ma remarque. Elle a sursauté et elle a crié : « ah ! » comme si on venait de la frapper au ventre, et elle a laissé tomber les ustensiles qu'elle tenait. Je suis sûr qu'elle a même pas entendu le bruit que ça a fait sur le plancher.

Elle s'est approchée doucement, en me regardant, comme y a que les mères qui savent regarder, et elle a mis ses mains sur mes épaules : « Si je te perdais à la guerre, si tu mourais là-bas, toi, Abram, mon garçon, mon seul garçon, mon fils aimé, c'est sûr, je deviendrais complètement folle. Promets-moi que tu n'iras jamais te battre dans la Montagne ! Promets-le-moi ! »

Alors j'ai promis. Est-ce que j'avais vraiment le choix ? Je pouvais pas lui dire : *Maman, je peux rien te promettre, on sait jamais, ça dépendra : suppose qu'un jour ils aient besoin de tout le monde…* et d'autres choses dans ce genre-là, toutes des choses vraies, même si j'y crois qu'à moitié. Mais c'était pas le temps de parler comme ça à ma mère, je voyais bien dans ses yeux qu'elle avait besoin que je la rassure, alors j'allais pas lui balancer des idées qui lui auraient fait mal.

De toute façon, ma mère, elle peut pas comprendre. Pour elle, tous les jours sont pareils. Elle se demande jamais si le monde devrait changer ou non, ni comment seraient les choses si elles étaient pas comme elles sont. Elle arrive même pas à imaginer l'avenir. Elle rêve pas, quoi. Même qu'elle est un peu contre ça. Elle dit que ça rend les gens tristes et confus, que les rêveurs cherchent partout ce qui existe nulle part, qu'ils sont toujours malheureux. C'est exactement ce qu'elle m'a répondu quand je lui ai demandé si elle en avait un, un rêve à elle, qu'elle révélait à personne, et qui était son idéal secret. Elle nettoyait les assiettes dans le bac à vaisselle.

« Un rêve ? Un secret ?

— Oui, des images dans ta tête qui ressemblent à une autre vie, à un autre monde, où c'est mieux qu'ici, où y a la Mer, où tu te reposes en mangeant des fruits et tout.

— Tu me demandes si je rêve à la Mer ?

— Oui.

— Non.

— Alors à quoi tu rêves ?

— Moi ? »

Elle a continué en silence à laver les assiettes. Quand elles étaient propres, elle les déposait doucement sur un linge à côté d'elle pour les laisser sécher. Elle prenait son temps. Je sentais qu'elle voulait pas dire n'importe quoi, pour pas me décevoir.

Finalement, après une minute, avec sa voix douce et calme comme quand elle me berçait, quand j'étais petit, après un cauchemar : « Tu sais, Abram, qu'elle a dit, je n'ai pas vraiment de temps pour ça, moi, les rêves. Tu pourras demander la même chose à n'importe quelle femme du village et elle te répondra comme moi. Les rêves, c'est pour les enfants et les fous. Je travaille du matin au soir, et souvent tard dans la nuit, pour que cette maison soit toujours propre et en ordre. Il y a le ménage, les courses, la cuisine, la lessive, le raccommodage, et mille autres choses… La journée passe tellement vite, on n'a même pas le temps d'y penser. Et tous les jours, il faut recommencer, sans jamais un jour de congé.

— Mais quand même, maman, tu rêves jamais un peu ?

— Le soir, quand je me couche, c'est vrai, ça m'arrive de rêvasser, mais pas longtemps, quelques secondes à peine, parce que je m'endors presque tout de suite tellement je suis fatiguée. Juste avant que le sommeil ne m'emporte, je vous vois, tes sœurs et toi, mes enfants chéris, dans cinq ans, dans dix ans, dans vingt ans, et je vois autour de vous des tas de petits enfants qui sourient, et souvent aussi je vois ta maison, Abram, et ta femme, et vous avez l'air heureux, grâce à Dieu, alors je me sens en paix et je m'endors. »

J'ai posé à peu près la même question à mon père. Il était dans le salon, près de la fenêtre. Il lisait le Livre. Je suis allé m'asseoir à côté de lui et j'ai attendu qu'il termine son passage. Au bout de quelques minutes, il a tourné les yeux vers moi, en levant les sourcils pour signifier qu'il m'écoutait, mais aussi pour que je comprenne que je le dérangeais un peu :

« Quand tu penses à l'avenir, papa, à quoi tu penses ? »

Il m'a regardé un moment sans rien dire. Puis il a délicatement replacé le signet entre les pages, il s'est levé tranquillement, il est allé déposer le Livre dans le coffre en bois où il le met toujours, il a refermé doucement le couvercle en disant la formule sacrée, puis il s'est rassis, sans se presser, et il m'a regardé encore.

Je me disais qu'il avait peut-être pas entendu ma question, et j'allais répéter quand il a dit : « L'avenir ? »

J'ai fait oui avec la tête. Il a rien dit de plus.

Moi, j'attendais en silence, comme avec ma mère. Lui, il regardait par la fenêtre les gens qui passaient dans la rue.

C'est drôle comme une question aussi simple peut obliger mon père à réfléchir aussi longtemps.

Finalement il a soupiré, il s'est retourné et il m'a regardé droit dans les yeux en me prenant les épaules, comme avait fait ma mère. Je crois qu'il essayait de deviner pourquoi exactement je lui posais cette question-là.

« On a remarqué, ta mère et moi, que tu avais l'air triste ces jours-ci. On s'est demandé ce qui pouvait t'embêter. »

Il hésitait. C'était bizarre, il m'avait jamais parlé comme ça avant. Il cherchait ses mots.

« Je sais que tu es au courant pour la petite Zaéma. Ton ami Slimaann a dû te l'apprendre. Abram, je veux te dire… Il ne faut pas que tu croies que ses parents ne t'aiment pas. Au contraire… Et si Dieu avait voulu…

— C'est pas la peine, papa. »

C'était gentil de sa part d'essayer de me consoler, surtout que je sais quel effort ça lui demande de s'ouvrir comme ça et d'aligner plus que trois phrases, quand il nous parle, à mes sœurs et moi.

Mais je voulais pas l'écouter. J'avais pas envie qu'il m'explique pourquoi je devrais renoncer à Zaéma, pourquoi je devrais même plus penser à elle. Ils voudraient donc tous que tout à coup je sois plus amoureux d'elle ? Ils s'imaginent qu'elle va juste disparaître de ma vie, comme ça, comme quand on fait éclater une bulle de savon dans le bac à vaisselle, juste parce qu'ils me le conseillent gentiment ? Que je vais plus rêver à tout ce qu'on fera, à tout ce qu'on vivra quand on sera ensemble pour toujours ? Ils veulent que je renonce à tout, à l'avenir, à l'amour, au bonheur ? Ça sert à quoi d'essayer de me convaincre que je ferais mieux d'accepter ce que les autres ont décidé pour nous deux ? C'est ça, la vie qu'ils nous promettent ? Juste ça ?

En tout cas, il a pas insisté. Quand même il gardait ses mains sur mes épaules, comme s'il voulait m'empêcher de m'en aller, et on est restés comme ça assez longtemps pour que je sente une petite douleur où ses doigts serraient ma peau.

Puis il m'a lâché, en soupirant encore plus fort.

« Abram, l'avenir, c'est Dieu qui le choisit. On n'a qu'à se montrer reconnaissant des choix qu'Il fait pour nous. Surtout, on ne doit pas s'obstiner. »

C'est toujours décevant d'entendre un truc comme celui-là. Je veux dire, c'est pas vraiment logique de vivre sans chercher à voir si on peut pas vivre mieux ou autrement, et en acceptant toujours d'être pauvre et impuissant et malheureux. Que Dieu me pardonne, mais est-ce que ça suffit, pour se consoler, de se dire que c'est sa volonté qui fait tout ?

Alors j'ai eu envie de le faire parler un peu, je trouvais que ça méritait plus d'explications, plus d'arguments, et j'ai répondu : « Donc, ça sert plus à rien de rêver ? »

Il a fait « hum ! » Je commençais vraiment à l'agacer. Il s'est rapproché de la fenêtre. Il regardait le ciel au-dessus des maisons.

« Si on prie pour quelque chose, qu'il a dit finalement, quand on a des enfants, c'est pour qu'ils ne se mettent pas dans le pétrin en s'imaginant que leurs rêves vont se réaliser. Le Seigneur ne te demande pas de rêver, Abram, Il veut que tu aies les deux pieds sur terre, que tu respectes les lois et les traditions, comme tout le monde. Il veut que tu restes dans ton village, que tu vives tranquillement au milieu des tiens, que tu travailles, que tu fasses la prière, que tu te rendes au temple les jours prescrits, que tu te maries et que tu aies des enfants, comme tout le monde. Si tu fais tout ça, je te jure, tu seras très occupé, comme moi, et tu ne perdras pas ton temps à imaginer des choses qui n'existent pas.

— Mais ça existe, papa, l'Europe… »

Il s'est retourné vers moi, l'air surpris. Il sait très bien, mon père, que la géographie m'intéresse. Il sait que je rêve de voyager et de découvrir d'autres pays, et il aime bien que je lui pose des questions sur ce qu'il a vu quand il est allé en pèlerinage jusqu'à la Montagne. Mais il s'attendait pas à une remarque comme celle-là, et ça l'a un peu froissé.

« Oui, Abram, ça existe. Mais tu dois arrêter de croire qu'un jour tu te rendras dans ces pays-là. Parce que c'est faux. Tu resteras ici, comme moi, comme ton grand-père avant moi, et comme son père à lui, et comme nos ancêtres depuis toujours. C'est ce que Dieu attend de toi, pas plus, pas moins.

— Mais oncle Moussa ? Il est allé, lui, là-bas, en France... »

Il a fait un geste avec sa main, comme pour dire : *Je ne veux pas en entendre parler, laisse-moi tranquille !* Alors je suis sorti du salon.

∾

Y a que ma sœur Hava qui insiste quand même, quand il se tait, mon père.

Cette année, pour son anniversaire, elle a demandé du rouge pour les lèvres. C'est le truc que les filles s'étendent sur la bouche en pensant que ça les rend plus jolies, même si je trouve, moi, que ça leur fait un drôle d'air et que ça donne pas plus envie de les embrasser.

Ma sœur disait que toutes ses amies en avaient. Mon père a fait une drôle de grimace, je crois qu'on appelle ça une moue, et en même temps il a reculé un peu la tête. On voyait bien qu'il en revenait pas de ce que ma sœur lui racontait.

« Tu crois que les pères de tes amies accepteront que leur fille se pavane en public arrangée comme une catin ? Impossible. Ce n'est pas permis. Quand tu seras fiancée, alors oui, peut-être, le jour de tes noces, on verra. En attendant, ce serait indécent.

— Mais je suis plus une enfant, tu sais, je suis presque une femme et je… »

Mon père parlait plus, il écoutait plus, il restait là, sans rien faire, les bras croisés. Il la regardait même pas. Il attendait qu'elle s'éloigne, comme on fait avec une mouche qui insiste, et même on l'aurait vu faire le geste de la chasser, qu'on se serait pas étonné. En tout cas, c'est sûr, lui il allait rester là, debout au milieu du salon, il resterait là tant qu'elle serait pas partie, juste pour montrer que c'était lui, le maître de la maison.

Malgré ça, ma sœur a insisté, comme y a qu'elle qui ose.

« Je serai la seule à pas en avoir ! »

Rien, encore rien : il parlait pas, il bougeait pas, il attendait qu'elle s'en aille. On sentait que ma sœur allait péter les plombs. Elle respirait comme une fillette qui a du mal à s'empêcher de pleurer.

« Mais tu comprends rien ! Maman, s'il te plaît, dis quelque chose ! »

Ma mère, elle hésite pas à faire savoir à mon père ce qu'elle pense, quand ils sont juste tous les deux. Ils croient qu'on les entend pas, alors qu'on les a écoutés cent fois se disputer. Mais elle veut surtout pas le contredire devant nous, elle le respecte trop pour ça. Donc, pour ramener la paix dans le salon, elle essayait plutôt de raisonner ma sœur :

« Ton père a parlé, Hava, c'est inutile, tu le sais bien. »

Ma sœur a pleuré, évidemment, et même elle a gémi et elle s'est lamentée et a encore pleuré. Tellement qu'elle avait les yeux tout rouges et que la morve lui sortait du nez. Elle savait plus quoi faire pour lui montrer qu'elle était pas du tout contente. C'était la crise, quoi ! Après, elle lui a pas dit un mot pendant un long mois. Lui, il faisait exprès pour lui parler plus que d'habitude et pour lui poser tout plein de questions agaçantes, du genre : « Tu as fait des progrès en broderie ? Tu as aidé ta tante Zaara à préparer le souper ? » Mais elle répondait pas, elle faisait semblant d'être sourde et s'en allait sans rien dire bouder dans sa chambre. Ça amusait un peu mon père de se moquer de la colère de ma sœur, et elle, ça la fâchait encore plus de voir qu'il la trouvait ridicule.

C'est vrai ce qu'a dit mon père : du rouge à lèvres, y a que les fiancées qui en mettent, et seulement quand elles se marient. Je me souviens que, le jour de ses noces, ma cousine Izbeth avait les lèvres rouges comme du sang frais, et ça m'avait frappé parce que je comprenais pas pourquoi elle voulait tellement attirer l'attention sur sa bouche, parce qu'on peut pas dire qu'elle est très jolie, ma cousine, même si elle est très gentille. Il lui manque des dents. Alors quand elle sourit, elle ferme bien fort la bouche pour que ça paraisse pas trop et ça lui fait une drôle de gueule. Avec les lèvres peintes en plus, ça devenait un peu bizarre, et je me dis qu'elle aurait pu laisser faire le rouge, ce jour-là. Mais peut-être qu'elle savait pas non plus l'air que ça lui donnait, et peut-être aussi que personne a osé lui dire, pour pas lui briser le cœur.

Je me demande ce que ça me ferait de voir ma Zaéma avec les lèvres peintes. En fait, je préférerais qu'elle se mette rien sur les lèvres, surtout pas du rouge, même si elle a la plus jolie bouche du monde et des dents brillantes comme des perles.

Justement, je voudrais pas qu'elle la montre à tout le monde, sa bouche qu'on a tellement envie de goûter. Le seul jour où elle en mettra, si elle veut, parce que j'insisterai pas, ce sera le jour de notre mariage, et c'est pour moi qu'elle le fera. Alors ce sera pas pareil.

～

J'ai rien dit à mon père, mais je sais que Hava rêve d'épouser Yacoub, le fils de l'orfèvre de la rue du temple, l'homme le plus riche du village. C'est pour lui qu'elle voudrait mettre du rouge.

Avec ses amies, elles en ont tout plein, des idées comme celle-là. Elles s'imaginent qu'en se maquillant ou en portant des vêtements voyants et des bijoux, et surtout en faisant les yeux doux à tous les garçons qui passent, elles pourront se trouver un mari plus vite. En tout cas, un à leur goût.

Je le sais, je les ai déjà entendues en parler. Quand je reviens du vieux cimetière, après un meeting avec les mecs, et qu'elles sont dans la cour, ça m'arrive de rester de l'autre côté du mur et de les écouter, par curiosité. Ça m'intéresse de savoir ce qu'elles pensent de ces choses-là.

« Moi, je veux pas que mes parents choisissent pour moi. Ils me connaissent pas assez bien. Je suis sûre qu'ils vont mal choisir...

— Moi, je veux un garçon pas trop moche, propre, et qui sait s'habiller. C'est quand même important qu'on ait envie de le regarder, qu'on soit fière de lui et que les autres filles se disent : *Il a de la classe, son fiancé.*

— Oui, c'est sûr. S'il est trop moche, on aura pas envie de le regarder et encore moins de l'embrasser...

— On voudra pas le montrer non plus. On aura honte.

— Mais aussi, faut qu'il soit un peu riche.

— En tout cas, faut pas qu'il soit trop pauvre.

— Moi, je veux surtout pas me marier avec un petit ouvrier de fond d'atelier, qui sent la sueur, qui a les mains et le visage tout noirs quand il rentre du travail le soir et qui salit le plancher avec ses godasses...

— Et qui en plus a pas les moyens de nous remercier de tout ce qu'on fait pour lui en nous offrant des cadeaux...

— Alors là, s'il gagne pas assez d'argent pour faire des cadeaux, il vaut même pas la peine qu'on le regarde, il est pas à la hauteur...

— Et je parle pas des cadeaux nuls que tout le monde peut faire.

— Comme des fleurs ramassées dans le champ derrière l'atelier...

— Ou comme le parfum qu'ils vendent au marché, dans les petites bouteilles noires, vous savez celui qui sent...

— ... le chameau !

— Moi, je veux que mon mari me fasse des cadeaux qui coûtent cher. C'est seulement ceux-là qui font plaisir.

— T'as raison, faudrait pas qu'il s'imagine qu'on est un truc gratuit. L'amour, ça se mérite. »

Je croyais qu'elles avaient fini et j'allais pousser la porte de la cour, mais elles ont recommencé à discuter. Hava a parlé, et c'est là que j'ai appris son histoire avec Yacoub. Je le connais bien, c'est un bon gars. Il a seize ans et il fait tout ce qu'il faut pour que ses parents soient fiers de lui. Il travaille déjà pour son père, et l'an dernier il s'est payé un scooter tout neuf. Il est pas très fort au foot, je veux dire que c'est pas du tout un sportif, mais il est plutôt gentil avec les mecs et moi, alors on le respecte.

« Ça me fait penser : je l'ai revu, hier, au marché.

— Non ! Raconte.

— Il m'a vue, même qu'on s'est regardés… juste une seconde, mais alors là, droit dans les yeux, et je vous jure… Ah ! mon cœur bat très vite rien qu'à vous le raconter. Et après, il est passé, et j'ai pas osé me retourner. Je me disais : *Non, Hava, c'est pas ce que font les filles bien.* J'étais avec ma mère. Mais peut-être que j'aurais dû quand même…

— Je l'ai vu aussi, il est passé juste à côté de mon frère et moi quand on achetait des haricots. Est-ce qu'il était pas avec sa cousine, celle qui vient de la ville ?

— La même qui est venue l'année dernière, avec ses parents et tout ?

— Oui. Elle s'était mis du rouge sur les lèvres, elle portait des tas de bijoux qui faisaient une sorte de cliquetis quand elle marchait et je te parle pas de sa robe… Tout le monde la regardait, elle levait le menton bien haut, comme une grue, c'était pathétique.

— Hava, tu crois qu'elle est revenue pour le voir ?

— Yacoub ? Arrête, c'est pas possible. C'est une cousine, c'est tout.

— Mais ils sont bien venus pour quelque chose, non ? Deux fois dans le même mois, c'est bizarre. On voyage pas comme ça juste pour aller au marché. Leurs parents sont peut-être en train d'arranger quelque chose en secret…

— Mais non, voyons, je te dis, c'est pas pour Yacoub, ça peut pas être pour lui. Je le connais trop bien. Il voudra jamais se marier avec une fille comme celle-là, une garce de la ville qui met du rouge pour aller au marché et que tout le monde regarde. De toute façon, la dernière fois qu'on s'est vus, sur la place, à la Fête des martyrs, il m'a juré…

— Quand même, si j'étais toi je me méfierais. Je l'ai bien vue, la cousine, et elle est plutôt jolie, faut l'admettre.

— Mais non, l'écoute pas, Hava. Tu dois pas t'en faire. C'est un gentil garçon, il voudra pas te faire de mal, surtout s'il t'a juré.

— Moi je te dis que tu devrais lui en parler, juste pour mettre les choses au clair.

— Mais non, arrête, tu lui fais peur !

— Vous pensez qu'on pourrait en trouver, du rouge, quelque part ?

— Moi je sais où. Vous connaissez la petite boutique au bout de la rue du marché, en face de l'atelier de couture ? Ils vendent des trousses de maquillage pour les fiancées. J'y suis entrée avec ma mère, l'an dernier, quand elle préparait le mariage de ma sœur. Mais ça coûte cher, et c'est pas sûr qu'on nous laissera en acheter. »

Tout le monde l'a vue, la cousine de la ville. C'était difficile de la manquer. Et c'est vrai qu'elle est jolie. Hava aussi, faut dire. C'est assez égal sur ce plan-là. Mais si la famille de la cousine a autant d'argent qu'on le prétend, alors je pense que ma sœur devra oublier ça. Comme on dit, les fortunes s'additionnent et les misères se multiplient.

Au fond, ma sœur et ses amies ont raison de se plaindre. Le pire, dans la vie, ce doit être de se marier avec quelqu'un qu'on connaît pas et qu'on a pas envie de connaître non plus, quelqu'un qu'on nous montre en disant « Je te présente ton mari » ou « Voici ta femme », alors que notre cœur en avait déjà choisi un autre, quelqu'un qu'on désirait vraiment. Sauf que personne a voulu connaître notre sentiment. Quelle différence ça peut faire, ce qu'on préfère, quand on nous laisse pas choisir ? On a qu'à apprendre à vivre malgré tout, avec dans le cœur la tristesse de pas avoir la vie qu'on voulait.

Elles aimeraient pouvoir provoquer les choses et surprendre tout le monde en se trouvant elles-mêmes un garçon à leur goût, un garçon si bien choisi que leurs parents pourraient pas refuser. Quand même, est-ce qu'elles se trompent pas un peu en croyant qu'en se peignant les lèvres elles se trouveront plus vite un mari, un mari comme dans leurs rêves ? Ce serait génial, c'est vrai, si la vie était aussi simple, et qu'un peu de couleur ici ou là suffisait pour tout changer. Si y a une chose que je comprends bien, maintenant, c'est que la vie dont on rêve, il faut se battre pour l'avoir.

De toute façon, son histoire de rouge, à Hava, ça tenait pas debout. J'ai jamais vu aucune de ses amies en porter. Quand on lui a parlé de la cousine maquillée comme une fiancée, elle a juste pensé qu'il fallait faire comme elle. Elle voulait lutter à armes égales, quoi. Alors elle a inventé tout ça pour convaincre mes parents de lui en acheter.

Moi j'ai rien dit, même si elle racontait des bobards. Ça me regarde pas, ses histoires de filles. À chacun ses embrouilles. Et puis, de toute façon, même si on est plus aussi proches qu'avant, Hava et moi, elle restera toujours ma sœur. Alors si ça peut l'aider que je me mêle de mes oignons…

Avant, quand on était encore que des enfants, elle prenait soin de moi, elle me cajolait, on jouait ensemble, je la suivais partout, elle était comme ma deuxième mère et moi comme son premier enfant, même si elle avait que trois ans de plus. Ça nous arrivait souvent de rire tous les deux pour rien, juste pour le plaisir de rire ensemble. Mais les choses ont changé. Maintenant, elle est malheureuse. Elle voit claire-ment devant elle la vie triste et longue qui l'attend, si elle laisse mes parents choisir son avenir à sa place. En même temps, elle en peut plus de vivre à la maison, avec les règles et les interdits et les tabous et les coutumes. Elle accepte pas qu'on lui dise qu'elle est pas libre, et c'est pour ça qu'elle se dispute tout le temps avec mon père et qu'elle lui fait la gueule pour un oui ou pour un non.

J'espère pour elle qu'ils choisiront bien et qu'elle aura de la chance. On sait jamais. Faut rester optimiste. Et tout faire pour que les choses arrivent comme on veut. Sinon, y a qu'à oublier le bonheur.

∾

Ce soir, j'ai pas le goût de faire mes devoirs. J'ai pas la tête à ça, elle est déjà trop pleine. De toute façon, si je pars bientôt, à quoi ça sert d'apprendre d'autres phrases par cœur ? C'est plus le temps. J'ai juste envie de rester étendu sur mon lit à réfléchir à ce qui s'en vient, à ce qui m'attend et à ce que je vais laisser derrière moi.

Comme ma petite sœur Aïssaa, qui passe tout son temps à dessiner. C'est oncle Moussa qui lui a donné des crayons de couleur et du papier. Comme ça, que dit ma mère, « elle dérange personne ».

Je sais pas pourquoi, mais elle dessine toujours la même chose. Peu importe où et comment elle les place sur la feuille, y a toujours quelque part le Désert, la Montagne et des chameaux. J'aime bien l'agacer en faisant semblant de rien reconnaître :

« Mais qu'est-ce que c'est que ça ?

— C'est des chameaux, voyons, c'est évident ! Regarde. Là, y a la bosse, et ici, y a la tête.

— Mmmouais… Ils ressemblent plutôt à des arbres morts, tes chameaux.

— C'est parce qu'ils ont les pattes très longues. Regarde. Tu vois ? Ça leur permet de pas s'enfoncer dans le sable jusqu'au cou.

— Et tu l'as pas dessiné, le sable ?

— Mais oui, y en là, et là, et là !

— C'est tout ? Y en a pas beaucoup. »

Alors elle a pris son crayon et a tracé des lignes d'un bord à l'autre du paysage pour faire apparaître un horizon de sable jaune.

« Voilà ! Maintenant, y en a assez.

— Et qu'est-ce que c'est, cette espèce de triangle, là, dans le coin ?

— C'est la Montagne !

— La Montagne ? Ça ?

— Mais oui ! Ah ! tu es méchant… Maman ! »

Au fond, je voulais pas l'embêter, je voulais juste lui faire remarquer que la Montagne, si on veut la dessiner comme il faut, on doit la placer au bout du Désert, qu'on peut pas la mettre n'importe où dans le ciel ou sous la terre ou dans le vide. Mais ma petite sœur, ça l'intéresse pas de savoir ces choses-là. Pour elle, le Désert, la Montagne, et même les chameaux, ça existe pas vraiment, c'est que des images ou plutôt c'est le décor des histoires qu'elle s'invente, alors elle peut bien imaginer tout ça comme elle veut, ça fait pas de différence. Tant qu'on a pas vu le monde avec ses propres yeux, il existe pas plus qu'un dessin d'enfant.

∾

Je pense aussi à ma grand-mère... Elle ressemble à personne d'autre que je connais. Elle a jamais l'air de s'en faire. Avec la vie, je veux dire. À toutes les heures de la journée, elle cherche à se rendre utile. Elle s'arrête jamais, même si elle est vieille et qu'elle se fatigue vite. Elle aide ma tante à préparer les repas, elle broie les épices, elle tranche les légumes, ou alors elle répare les trous dans nos vêtements, assise dans la cuisine sur son grand coussin, près de la fenêtre. Sinon elle dort.

J'aime bien la regarder. Elle parle pas beaucoup, même si elle écoute tout ce qu'on dit, et je me demande souvent à quoi elle pense. Ses lèvres remuent continuellement, comme si elle murmurait des trucs secrets. On pourrait croire qu'elle parle toute seule, comme font souvent les vieilles, mais quand on la connaît, on sait qu'en réalité, elle chante. On peut pas dire quoi, exactement, on entend pas bien. Mais des fois, sans prévenir, y a un petit bout d'un air qui s'échappe, on attrape quelque notes, mais ça dure pas : c'est comme la ritournelle d'un petit oiseau qui passe très vite au-dessus de nos têtes. Je pourrais pas dire si elle fredonne toujours la même chose, je lui ai jamais posé la question. C'est sûrement une vieille chanson qu'on lui a montrée quand elle était fillette, dans son village. Parce que c'est quand on est petit qu'on apprend les chansons.

Aujourd'hui, le village où elle est née existe plus. Y a plus personne qui vit là-bas, en tout cas. Y a que les chevriers, qu'on m'a dit, qui s'abritent la nuit au pied des murs en ruine, parce qu'il reste que les murs brisés des maisons. Le village est de l'autre côté des collines, à deux heures de marche, juste où le Désert commence, près d'une source qui coule entre les pierres et les buissons d'épines.

Ils élevaient des animaux, des chèvres surtout, pour la viande et le lait, mais aussi des ânes et des chameaux. Sur la pente des collines, sur le bord de la mer de sable, y a pas mal d'arbustes, un peu d'herbe, quelques arbres aussi, mais pas tant que ça, à cause du vent. Ça devait suffire aux animaux.

Dans ce temps-là, y avait encore les grandes caravanes qui traversaient le Désert, et les villages de la région étaient tous tournés vers la Montagne et les territoires qui sont de l'autre côté.

Je sais tout ça parce que je suis allé là-bas, une fois, avec ma classe, en excursion. C'était y a deux ans. On s'est rendus de l'autre côté des collines, jusqu'au bord du Désert. On s'est promenés entre les ruines, on a écouté le professeur nous raconter l'histoire du village et de sa destruction, puis on a planté nos tentes dans le sable au pied des murs effondrés, on a fait un feu, on a passé la nuit sous des millions d'étoiles qui attiraient les yeux comme des aimants. C'est le genre de truc qu'on oublie jamais.

Le lendemain matin, on est montés au sommet d'une colline qui domine les autres. Et c'est là qu'on a pu voir, pour la première fois, et dans un seul regard, tout le Désert qui s'étire jusqu'à la Montagne. Chacun en avait une image bien à lui dans sa tête. On avait l'habitude d'en parler entre nous comme si on l'avait déjà vu. Mais ça nous a tous vachement impressionnés de le voir pour de vrai, si grand, si beau, si lumineux.

Je me suis tourné vers le professeur :

« Ça fait combien de kilomètres, monsieur, jusqu'à la Montagne ?

— À peu près soixante-dix.

— Elle est pas très haute…

— D'ici, on la voit toute petite, c'est vrai, mais plus on s'approche, plus elle grandit, et quand on arrive à son pied, on ne voit plus du tout le sommet.

— Vous êtes déjà allé jusque-là ?

— Oui, en pèlerinage, comme ton père. »

Pas très loin d'où on était, près d'une petite source, on voit encore, même si elles sont pleines de sable, les terrasses que les villageois ont creusées dans les collines. C'est là que pendant des siècles ils ont fait pousser les céréales, les légumes et les fruits. Ils étaient pauvres, c'est sûr, mais au moins ils avaient de quoi manger et boire. Autour d'eux, le pays était tellement beau, tellement immense, que ça devait leur faire oublier bien des malheurs.

S'ils ont abandonné leur village au soleil, au sable, au vent, c'est pas parce qu'ils étaient tristes. C'est la guerre qui les a chassés de leur petit paradis. Un jour, l'Ennemi a traversé le Désert comme un vent de tempête et est venu attaquer les villages des collines. Ils ont pris tout ce qu'ils voulaient, l'argent, les bijoux, le bétail, ils ont tué tous ceux qui avaient pas réussi à s'enfuir, ils ont brûlé les récoltes, les maisons, les temples. Ils ont aussi commis des atrocités qui se racontent pas. Puis ils sont repartis, en chantant et en riant, avec leur butin.

Il reste plus que des vieillards comme ma grand-mère pour se rappeler ce jour-là. Mais quand on lui en parle, elle a pas grand-chose à nous dire. C'est peut-être trop loin dans sa mémoire. Peut-être aussi qu'elle veut juste pas y penser.

En tout cas, c'est après ce massacre-là que ceux qui étaient pas morts sont venus s'installer ici, de l'autre côté des collines, au pied du vieux cimetière. Un coin triste comme le fond d'un puits. Ils pensaient se protéger pour toujours du monde et des autres.

Mais on sait tous aujourd'hui qu'on peut pas.

∾

Je dois faire mes devoirs… Si le professeur voit que je les ai pas faits, il le dira à mon père, et lui, c'est sûr, il me punira, il m'obligera à rester à la maison pendant des jours, il me surveillera, il me forcera à travailler devant lui, et quand il me laissera tranquille, il sera trop tard, il fera trop chaud pour traverser le Désert, et j'aurai raté ma chance.

Alors c'est simple, je vais faire mes devoirs comme d'habitude, même si j'ai pas du tout le cœur à ça.

La Montagne, la Frontière
et plus loin encore

Une fois, à l'école, je devais avoir sept ans, le professeur, comme il le fait souvent, a écrit une phrase au tableau qu'il nous a demandé de copier et d'apprendre par cœur : « Depuis toujours, la Terre de l'Est et la Terre de l'Ouest sont en guerre. » Évidemment, je savais déjà, parce qu'on l'entend si souvent répéter, que ceux de l'Est sont nos ennemis jurés. Mais voir ça écrit, en grandes lettres blanches sur le tableau noir, ça m'a frappé. C'est là que j'ai compris pourquoi on nous apprend à les haïr et à les traiter de tous les noms, sans nous dire les raisons, juste par habitude, par tradition, comme un héritage qu'on se transmet sans prendre le temps d'expliquer d'où ça vient ni à quoi ça sert.

On a copié cette phrase-là comme on copie les autres. Personne a osé demander pourquoi ou comment. On l'a apprise par cœur, comme toujours. On s'est assurés de la répéter comme il faut, et surtout on a pas cherché à comprendre parfaitement ce que ça signifiait. C'est tout ce qu'on nous demande.

Ici, au village, je suis sûr que personne sait exactement pourquoi on s'est mis, aux premiers jours de la guerre, à se donner des coups de sabre. Ce qui est sûr, c'est qu'à l'école on nous l'a jamais expliqué comme il faut. On nous a enseigné que la guerre a commencé sans qu'on ait rien fait pour la mériter, ou plutôt que c'est l'Ennemi qui est responsable de tout, et que nous, on s'est toujours contentés de se défendre, comme des victimes innocentes. On nous a pas présenté la vraie histoire, quoi.

Mais moi je peux raconter comment la guerre a débuté, y a de ça très longtemps, dans ce qu'on appelait alors le Grand Royaume. C'est écrit dans un des livres qu'oncle Moussa a rapportés de ses voyages, un petit livre sans images, tout usé, avec des pages jaunies, qu'il m'a traduit en le lisant. Je peux répéter ce que ça raconte, je m'en souviens parfaitement, il me l'a lu vingt fois au moins.

Y a mille ans, donc, l'espace entre les collines et la Montagne était pas encore le Désert, mais plutôt une immense prairie toute verte, avec des ruisseaux, des arbres, des fruits et des oiseaux. Dans ce temps-là, le Grand Royaume était gouverné par un roi que son peuple aimait vraiment. On disait qu'on avait jamais été aussi tranquilles, aussi riches que depuis qu'il était sur le trône. Mais un jour, alors qu'il était devenu très vieux, le roi est mort, et le Grand Royaume a été confié à ses deux fils : l'aîné a reçu la Terre de l'Est, le benjamin la Terre de l'Ouest. Les premières années, ils ont régné ensemble sans jamais se disputer, comme deux frères qui s'aiment et se respectent, et le peuple du Grand Royaume continuait à bénir le Seigneur de lui avoir donné d'aussi bons et sages rois.

Au bout de quelques années, l'aîné a voulu se marier. Alors on lui a présenté toutes les jeunes filles de son royaume et il a choisi la plus jolie, comme de raison, et tout le monde l'enviait, tellement la nouvelle reine était charmante et douce et gentille, et il se disait qu'il était l'homme le plus chanceux du monde. Puis un jour ça a été le tour du benjamin. Naturellement, son frère est venu de la Terre de l'Est pour assister à la cérémonie.

Mais alors il s'est passé quelque chose de terrible, quelque chose de… j'essaie de me rappeler le mot du livre d'oncle Moussa… de *tragique*, et ça a tout foutu en l'air.

Dans le temple, quand l'aîné a vu la fiancée remonter l'allée au bras de son frère qui souriait comme un homme fier et content, quand il a vu cette fille-là qui s'avançait vers l'autel, vers lui, si extraordinairement belle qu'on aurait dit une étoile descendue du ciel, alors juste comme ça, le temps d'un seul regard, y a quelque chose en lui qui s'est détraqué. Il a pensé que sa vie jusque-là avait été qu'une illusion, une erreur, une injustice. Son bonheur, son amour pour sa propre femme, son amitié pour son frère, y a plus rien qui comptait. Une voix pleine de colère et de jalousie s'est mise à crier dans sa tête : *Cette fille-là, elle est à toi !* Alors il a plus pensé qu'à ça, la posséder, il a plus vécu que pour ça. Tellement qu'il a cru qu'il allait mourir de tristesse et de désespoir. Et comme ça arrive souvent avec les fous malheureux, il est devenu méchant.

Quand il est rentré chez lui dans la Terre de l'Est, il est descendu tout droit au sous-sol du palais, jusqu'au cachot des condamnés à mort. Il en a choisi quatre, les plus dangereux, des meurtriers. Il leur a offert non seulement de leur rendre la liberté, mais aussi de les couvrir d'or, s'ils réussissaient à tuer le roi de la Terre de l'Ouest, son rival, son ennemi, son petit frère.

Ensuite, il est allé dans la chambre de la reine, sa chère femme, qui se doutait de rien, qui avait rien à se reprocher, qui s'attendait surtout pas à mourir. Le livre d'oncle Moussa raconte qu'elle était assise près de la fenêtre et qu'elle brodait tranquillement, sur un petit coussin de soie, un paysage d'arbres et d'oiseaux autour d'une source, et dans un rayon de soleil, un petit berceau tout blanc. Le prince s'est approché d'elle. Il a pas vu qu'elle lui souriait tendrement. Alors il lui a pris les cheveux par-derrière, et sans rien lui dire, ni même la regarder, il l'a égorgée avec son poignard. Cette nuit-là, avec deux ou trois serviteurs, il a enterré le corps, sans une prière, comme on enterre un chien.

Le lendemain, il a fait annoncer au peuple qu'elle était morte dans son sommeil, qu'il était malheureux de l'avoir perdue et tout le baratin. Puis on a célébré ses funérailles. Les sujets en pleurs ignoraient qu'ils se recueillaient devant un cercueil vide.

Quelques jours plus tard, alors que le benjamin traversait une rivière avec des hommes à lui pour aller à la chasse, quatre hommes l'ont attaqué par-derrière, à un endroit qui porte encore son nom, le Passage du prince martyr. Je suis jamais allé là-bas. La rivière existe plus, qu'on m'a dit, y a plus que le sable et les rochers. Oncle Moussa m'a montré une image, une fois, un vieux dessin où on voyait couler la rivière entre les arbres, et sur le sable de la berge, le frère qui venait d'être tué et qui restait là, par terre, sans bouger, dans son sang qui formait une grande flaque noire.

Les premiers jours, personne a su qui étaient les meurtriers. On se disait que ça pouvait être que des brigands. Aussitôt qu'il a reçu la nouvelle de la mort de son frère, le Prince Assassin, comme on l'appelle chez nous, s'est préparé à partir pour la Terre de l'Ouest, pour consoler la belle veuve et surtout pour la forcer à l'épouser. Il se disait qu'ensemble, elle et lui, ils régneraient sur le Grand Royaume.

Mais il a même pas eu le temps de quitter son palais. Un de ses serviteurs, qui savait la vérité, s'était déjà rendu dans la Terre de l'Ouest et avait vendu son secret. Ce soir-là, devant le portrait du prince son mari, la veuve s'est planté un long couteau dans le cœur, elle est morte juste là, sans un mot, sans une larme. Alors ceux de la Terre de l'Ouest ont juré qu'ils allaient se venger.

Donc, la veille du départ du Prince Assassin, un soir de pleine lune, des hommes sont entrés en secret dans son palais. Ils sont allés jusqu'à sa chambre. Il dormait comme un homme tranquille et content. Ils l'ont réveillé avec une gifle pour qu'il les regarde comme il faut, et sans rien lui dire, à mains nues, ils l'ont étranglé, et pour qu'on sache bien pourquoi il était mort, on a laissé sur son visage le portrait de son frère assassiné. Alors ceux de l'Est ont juré à leur tour de se venger.

Et depuis ce jour-là, on vit comme deux peuples ennemis, sans rien partager, sauf une Frontière, sans rien échanger non plus, sauf des coups de sabre, ou plutôt des bombes et des balles, et des insultes. Depuis tout le temps que ça dure, plusieurs fois ils nous ont envahis, plusieurs fois on a été les envahisseurs. À chaque fois, y a eu beaucoup de sang, beaucoup de morts, beaucoup de douleur et de tristesse, beaucoup trop de tristesse. Encore aujourd'hui, y a des tensions, comme ils disent, à la Frontière, et je crois que c'est pas demain que ça va s'arrêter.

Chaque moitié du Grand Royaume s'est développée comme si l'autre existait plus. C'est pour ça qu'on parle plus la même langue, même si y a beaucoup de ressemblances, et qu'on pratique pas la Religion de la même façon, même si dans les deux Terres on croit en Dieu et qu'on lit le Livre. C'est comme pour les prières : j'ai entendu dire qu'ils en récitent trois le matin et trois le soir. C'est bizarre, mais c'est comme ça. C'est pareil pour les jours sacrés et les fêtes : ils ont pas exactement les mêmes. Et y a sûrement plein d'autres différences de ce genre-là.

On peut penser qu'ils ont tort, qu'ils se trompent, et peut-être qu'on aura raison. Malgré tout, je me suis souvent demandé si c'était des différences assez importantes pour excuser, ou en tout cas pour expliquer, toute la violence et toute la haine.

Dans tous les temples du pays, y a les prêtres qui encouragent les hommes à continuer la guerre : « Ceux de l'Est sont les ennemis de la vraie Religion. Allons-nous les laisser profaner le Saint Nom de Dieu ? » C'est exactement les mots qu'ils emploient. J'ai entendu tout ça moi-même le jour de la Fête des martyrs, mais à plein d'autres moments aussi. Ils font de longs discours où les mots *gloire* et *sang* reviennent souvent, pour nous convaincre qu'il faut leur en vouloir à mort, à ceux de l'Est, d'être venus au monde. C'est assez facile, faut dire, quand y a personne pour affirmer le contraire. Quand on nous rappelle que nos ennemis nous haïssent du plus profond de leur cœur, on a juste envie de les haïr encore plus.

Les pères, eux, pour pas passer pour des lâches devant leurs propres fils, ils crient tous ensemble, d'une seule voix, comme une sorte de refrain : « Gloire à Dieu ! Mort à l'Ennemi ! » Ils ont l'air bien convaincu. Tout ce temps-là, les garçons, avec leurs yeux ronds comme des trous de balles, ils regardent et ils écoutent bien comme il faut, la bouche entrouverte. On voit qu'ils sont rudement fiers de leurs papas. Ils apprennent ce qu'ils répèteront eux aussi à leurs fils, quand ils seront grands.

J'imagine que là-bas, dans la Terre de l'Est, les garçons entendent la même chose que chez nous, mais à l'envers. Je veux dire, on doit leur expliquer que nous, de l'Ouest, on est les ennemis de Dieu et de son peuple, et ils doivent le croire, c'est sûr. Ils ont aucune raison d'en douter.

Tout ça pour dire que si tout le monde connaissait comme moi cette histoire-là, pas celle qu'on leur a contée à l'école, à la maison, dans la rue ou au temple, mais celle qui est écrite dans le petit livre d'oncle Moussa, celle qui montre que la guerre a commencé comme une profonde blessure qu'on aurait dû soigner tout de suite au lieu d'attendre que le sang coule sans plus pouvoir s'arrêter… alors peut-être que les hommes verraient que c'est de la folie de continuer à se battre contre leurs frères du Grand Royaume. Les ennemis se serreraient la main. On quitterait la Frontière. Et chacun retournerait chez soi.

Le soir, dans leur salon, ceux de l'Est comme ceux de l'Ouest pourraient boire leur café tranquilles, en famille, sans penser à tuer personne, et surtout sans avoir peur que leurs enfants meurent avant d'avoir eu le temps de vivre. Et le Grand Royaume serait uni pour toujours, pour la plus grande gloire de Dieu et le salut de son peuple.

∾

La dernière invasion, c'était y a trois ans. Tous les hommes ont dû se battre, même ceux qui en avaient vraiment pas envie. Cette année-là, c'était la sécheresse partout au pays, et les récoltes ont été perdues. Comme on pouvait plus se permettre de nourrir l'Armée dans la Montagne et à la Frontière, les hommes ont dû abandonner les camps et sont retournés dans leurs villages. Quand l'Ennemi a compris que l'Armée désertait, il a voulu en profiter. Ceux de la Terre de l'Est avaient beaucoup moins souffert de la sécheresse et ils avaient de quoi nourrir tous leurs soldats. Alors deux mille hommes ont traversé le Désert sans qu'on puisse les arrêter. Ils sont venus piller et détruire les villages de la vallée. Ils se disaient sûrement qu'ils nous prendraient par surprise, qu'on aurait pas le temps de réagir, qu'ils nous écraseraient. Ils avaient raison.

Ici, on a su seulement la veille que l'Ennemi s'en venait. Des réfugiés des premiers villages attaqués ont commencé à arriver chez nous par la route. Ils nous ont raconté ce qu'ils avaient vécu et ils nous ont prévenus de ce qui nous attendait. Puis ils ont continué leur chemin vers la ville. Ça nous laissait pas beaucoup de temps pour réfléchir, pour nous préparer, et surtout pour nous faire à l'idée qu'on allait peut-être tous crever. Il a fallu trouver rapidement des armes, et ç'a pas été simple. J'ai entendu dire qu'on a distribué des fusils de bois à la moitié des hommes, pour faire croire à l'Ennemi qu'ils étaient armés. Il a fallu organiser les troupes. Mais est-ce qu'on peut vraiment appeler ça des troupes, quand la plupart des hommes, en tout cas ceux qui avaient reçu un vrai fusil, ont appris à tirer deux ou trois heures avant l'attaque ? On peut se demander s'ils visaient juste.

Quand on a eu des nouvelles du village le plus proche, à l'ouest, qui a été presque complètement détruit en quelques heures, alors tout le monde a compris qu'on pourrait pas, qu'on allait pas tenir longtemps. Certains ont proposé qu'on évacue, que les femmes, les vieux et les enfants descendent jusqu'au fond de la vallée et se dirigent vers la ville, comme les autres. Mais à ce moment-là, le vent a tourné et s'est mis à souffler fort, et on a eu peur d'être pris dans la tempête. Alors on est restés dans nos maisons en espérant que le sable obligerait l'Ennemi à renoncer à nous attaquer. Puis on a attendu en silence que ça passe. Chacun priait au fond de lui pour que ça dure des jours et des jours et que l'Ennemi disparaisse, enseveli sous les dunes. Mais pendant la nuit, le vent s'est calmé.

Eux, ils bougeaient pas. On savait qu'ils étaient encore là, cachés derrière les collines. On se disait qu'ils allaient peut-être repartir chez eux, après tout. Mais juste avant l'aube, y a deux ou trois de leurs chefs qui sont entrés dans le village, pour voir. Ils étaient accompagnés d'une dizaine d'hommes armés jusqu'aux dents. Certains des nôtres sont allés leur parler et leur ont dit que le village se rendait, qu'on les laisserait entrer sans résister, qu'on déposerait les armes sans en oublier une seule. Avant de repartir, ils ont salué nos hommes en les rassurant : « Ne vous en faites pas. Nous avons vu ce que nous voulions voir. »

Alors nos hommes ont cru naïvement que c'était dans la poche, et même ils se sont félicités : « On est sauvés, grâce à Dieu, ils ne nous attaqueront pas ! » De toute façon, on avait pas les moyens de se défendre, même avec des fusils et des tranchées et tout. Un village, ça peut pas se battre contre une armée.

Mais à sept heures, ils nous ont attaqués. Nos hommes ont répliqué comme ils pouvaient. Ils savaient bien qu'ils avaient aucune chance de gagner la bataille. Qu'ils risquaient leur vie. Ils l'ont fait quand même. Ils l'ont fait pour leur famille, pour leurs enfants, ils l'ont fait pour l'honneur. Mais je crois pas qu'ils aient tué un seul des soldats ennemis.

Ce qui est sûr, c'est que les pères de plusieurs de mes amis sont morts ce matin-là. Dans ma classe, sur vingt garçons, y en a sept qui sont devenus orphelins du jour au lendemain. Nous, les autres, on a tous voulu les consoler, naturellement. Mais eux, ils disaient rien. Ils pleuraient même pas. Ils étaient comme morts eux aussi, mais avec les yeux ouverts. Alors on a pas insisté.

Mon père a vu mourir les pères de Yaassir et de Benïaaminn, deux potes qui vivent un peu plus bas dans ma rue. Il les a vus mourir juste à côté de lui. Ils étaient cachés derrière des sacs de sable et une roquette a explosé à dix centimètres. Grâce à Dieu, mon père a pas eu une égratignure. Les deux autres ont pris tout le coup. Il restait même pas un cadavre à mettre dans la terre, il restait que des morceaux de chair et du sang partout, et une odeur de viande brûlée.

Mon père m'a décrit ça comme je le dis. Il a pas essayé de rendre les choses plus faciles à avaler, je veux dire moins cruelles. Il voulait que je sache exactement ce qui était arrivé et que je l'oublie pas : « Tu dois te rappeler ce qu'ils nous ont fait, Abram. Et tu le raconteras à tes enfants. Que Dieu les maudisse ! Ils sont venus jusqu'ici tuer des gens qui ne leur avaient rien fait ! »

Depuis ce jour-là, mon père est encore plus sérieux, plus silencieux, plus triste qu'avant. On a l'impression que tout son corps penche un peu vers l'avant, comme s'il portait quelque chose de très lourd sur les épaules, quelque chose qui l'attire vers la terre. C'est sûrement à cause de toutes les images dégueulasses qu'il a dans la tête et qu'il arrive pas à oublier. Mais je lui ai pas posé la question, c'est des choses qui se demandent pas. De toute manière, la guerre, elle arrêtera jamais de donner des cauchemars à tout le monde.

∾

Quand l'Ennemi a occupé le village, après l'attaque, nos hommes étaient tous partis. Je veux dire, ceux qui étaient pas morts et qui pouvaient encore marcher. Quand ils ont vu qu'ils avaient aucune chance, ils ont décidé qu'il valait mieux se regrouper dans les collines et organiser une contre-attaque avec ceux des autres villages. Ils espéraient que l'Ennemi, en voyant ça, les suivrait, qu'il renoncerait à tout détruire et à massacrer ceux qui étaient restés. Ils ont abandonné le village en priant le Seigneur de protéger leurs familles.

Ça a marché. En tout cas, presque. Une partie de l'armée ennemie s'est dépêchée de remonter vers les collines en voulant les rattraper, et ça explique pourquoi ils se sont pas autant donné la peine de tuer des innocents dans notre village, grâce à Dieu, alors qu'ils l'ont fait ailleurs.

Ça a pas empêché les soldats qui étaient restés de passer de maison en maison en remontant la rue. Ils ont défoncé les portes, même quand on était prêt à leur ouvrir. Mais ils prenaient pas le temps de demander. Ils ont fouillé partout, ils ont renversé les meubles, ils ont percé des trous dans les murs, ils ont vidé les placards. Tout ça c'était pour trouver des armes, et pour voir aussi si y avait pas des hommes qui se cachaient dans les maisons. Mais nos hommes étaient tous partis, comme j'ai dit, en emportant les armes avec eux, alors y avait rien à trouver.

On a d'abord entendu les soldats ennemis entrer chez mon pote Aaron, plus haut dans la rue. Ils gueulaient dans leur langue à eux des mots qu'on comprenait pas, et y avait par-dessus ça les cris hyper aigus des femmes qui suppliaient de pas tirer sur les enfants, et qui répétaient comme des hystériques : « Seigneur, sauve-nous ! Seigneur, sauve-nous ! » Après avoir cherché partout en brisant tout ce qu'ils pouvaient, les soldats ont compris qu'ils perdaient leur temps à chercher encore. Ils sont sortis sans rien dire et ils ont recommencé leur cirque dans la maison suivante.

Quand j'y repense, je me dis que c'est peut-être ce jour-là qu'elle s'est arrêtée, ma vie d'enfant.

Nous, on les attendait dans le salon. Je me souviens qu'on était tous assis, la tête basse, en silence, comme si on attendait la mort. J'étais le seul garçon dans la maison, alors quand ils sont entrés, c'est moi qui leur ai parlé. Je me suis levé, je me suis avancé vers eux et je leur ai dit : « On a pas d'armes ! On peut vous montrer. Pas d'armes ! »

Je pointais vers leurs fusils, puis je croisais et décroisais les bras pour qu'ils comprennent, et en plus je faisais non avec la tête. Mais ils se sont mis à me hurler dessus en postillonnant. Ils m'ont poussé et je suis tombé par terre. Puis ils ont poussé ma mère, mes sœurs et ma tante dans un coin. Même que ma mère est tombée et qu'elle a dû se relever toute seule. J'ai voulu l'aider et je suis allé vers elle, mais y a un soldat qui m'a arrêté en me frappant sur le côté de la tête avec le canon de son fusil, et ça m'a fendu la peau. Je porte encore la cicatrice. Heureusement, ils ont pas poussé grand-mère. Elle s'est couchée par terre tout de suite quand elle les a vus entrer. C'est une chance qu'ils l'aient pas bousculée, parce qu'ils lui auraient brisé les os.

Sans personne pour traduire, on comprenait pas ce qu'ils nous demandaient, même si y a des mots qu'on croyait deviner, et ça avait l'air de les fâcher encore plus. Pendant qu'y en quatre qui nous menaçaient et qui nous faisaient peur, avec leurs armes de guerre braquées sur nous, à quelques centimètres de nos têtes, les autres fouillaient la maison et brisaient nos affaires. J'ai vraiment pensé qu'on allait crever, alors j'ai voulu essayer au moins quelque chose. J'ai dit aux autres : « Faites comme moi », et je me suis mis à genoux, les mains derrière la tête. Elles m'ont imité sans poser de questions. J'avais vu ça dans un film. C'était l'histoire d'un voleur qui finissait pas se rendre à la police, après des heures de poursuite dans les rues d'une grande ville. Ça m'avait frappé. Et je sais pas pourquoi, mais ça m'est revenu dans la tête juste à ce moment-là. C'était une façon de leur montrer qu'on était inoffensifs et qu'on les laisserait faire toute leur sale besogne sans rien dire. Il fallait sauver notre peau, quoi…

Mais ils nous ont forcés à nous relever. Ils continuaient de nous bousculer, comme si on faisait exprès de rien piger. Nous, on était prêts à tout faire pour qu'ils s'en aillent le plus vite possible.

Alors y a un interprète qui est entré. Un vieux qui portait des vêtements crasseux et qui avait l'air de sortir d'un trou dans le Désert. Il parlait un peu notre langue, et il traduisait lentement, avec une voix bizarre, comme une voix morte. C'est là qu'on a compris qu'il fallait rester debout, les jambes écartées, les mains contre le mur, et surtout pas les regarder. Je me dis que s'ils avaient fait entrer ce gars-là en premier, on aurait tout de suite compris ce qu'ils voulaient exactement, et ils auraient pas eu à nous défoncer les oreilles en gueulant comme des enragés.

Et pendant qu'on était tous les six arrangés comme ça, immobiles, les mains contre le mur, on les a écoutés saccager la maison. Ils ont brisé les bibelots, les miroirs, le service à café que maman aimait tellement et qu'elle avait reçu en cadeau de mariage de ses grands-parents. Ils ont vidé les armoires, jeté la vaisselle et les casseroles à terre. Dans nos chambres, ils ont pris nos vêtements, les ont déchirés, ont marché sur nos couvertures avec leurs sales bottes, ont renversé nos lits, et ils ont ouvert les matelas avec leurs baïonnettes. Avec la crosse de leurs fusils, ils ont fait éclater la belle mosaïque qui décorait le long mur du salon et qui représentait le grand temple d'argent. Au bas de la mosaïque, sur les carrés noirs qui encadraient l'image, y avait d'écrit en belles lettres d'or : « Un seul Dieu tu adoreras. » Je me rappelle très bien. Ça m'a fait beaucoup de peine qu'ils nous la détruisent. C'était oncle Moussa qui nous l'avait offerte après être revenu d'un pèlerinage.

J'y repense souvent, à ce jour-là, je revois tout dans ma tête. Je revois ma mère, ma grand-mère, ma tante et mes sœurs malmenées, humiliées, traitées comme des moins-que-rien. Ils sont entrés comme des voyous dans notre maison. Ils nous ont menacés dans notre propre salon avec des armes qui peuvent faire dans les murs des trous gros comme le poing. Ils ont craché sur nos tapis, pissé dans les coins… Et tout ça, on peut pas, on doit pas l'oublier. En tout cas, moi, c'est sûr, je pourrai jamais l'oublier.

Mais malgré tout, dis-moi, Seigneur, est-ce que je dois bâtir ma vie sur la haine que je ressens quand ces images-là m'envahissent la tête et me tordent le cœur ? Est-ce qu'on doit à tout prix se venger, se faire soi-même justice, pour être quittes ? Si on humilie, si on terrorise, si on violente leurs femmes et leurs enfants, est-ce que ça sera pas nous, alors, les monstres ? Et surtout, est-ce qu'on perdra pas le droit de se plaindre en invoquant ton Saint Nom ? Le mieux, est-ce que c'est pas d'espérer que Toi, Dieu tout-puissant, Tu t'occuperas de les punir ? Je veux dire, c'est à Toi de faire ça, non ? Nous, on peut juste rajouter de la douleur à la douleur, et du malheur au malheur.

∾

La seule autre fois où j'ai vu quelqu'un briser par exprès de la vaisselle, c'est quand ma mère a fait exploser une tasse en la lançant contre le mur de la cuisine. C'était quelques mois après l'invasion. Mon père venait de lui annoncer qu'il partait pour la Montagne rejoindre l'Armée de Dieu. Il avait reçu un message urgent d'oncle Moussa qui disait qu'on avait besoin de lui là-bas, comme de tous les hommes capables de se battre. Ma mère, ça l'a rendue folle. Elle a crié et elle a balancé de toutes ses forces le premier objet qu'elle a trouvé. Toute la rue a entendu et les voisins ont dû être sacrément étonnés, au moins autant que nous, qu'elle soit dans cet état-là, parce que d'habitude elle est tellement calme, et qu'elle se fâche quasiment jamais.

Finalement, mon père est resté à la maison. À la dernière minute, il a reçu un nouveau message d'oncle Moussa qui demandait plutôt aux hommes mariés de rester pour protéger leur femme et leurs enfants, au cas où les soldats ennemis attaqueraient encore le village. Ma mère, ça l'a vraiment soulagée. Elle était sûre que mon père reviendrait jamais vivant de la Montagne. Et puis, même s'il était revenu, qui sait combien de temps il serait resté là-bas ? Sûrement des mois.

C'est surtout ça qui rendait ma mère complètement dingue, je crois. Elle voulait pas se retrouver toute seule avec mes sœurs et moi. C'est sûr, y a ma tante et ma grand-mère qui aident, mais quand même, ça peut pas remplacer un mari et un père. Comment on aurait fait pour survivre sans l'argent qu'il apporte à la maison ? J'aurais dû abandonner l'école pour aller bosser tous les jours. Et Dieu sait où… J'aurais dû accepter n'importe quel petit boulot ingrat et humiliant, juste pour qu'on crève pas de faim.

Les hommes qui combattent dans la Montagne, normalement, ils sont pas mariés, alors ils ont moins de choses à perdre. Je veux dire : ils ont pas de maison à eux, pas de femme, pas d'enfants qui les attendent le soir après le travail, ni de parents à soutenir, et s'ils meurent, ils laissent personne dans le besoin. Alors tout le monde a l'air de penser que c'est normal qu'ils se sacrifient, ceux-là, parce qu'après tout faut bien qu'y en ait qui se sacrifient. C'est toujours ceux qui ont le moins à perdre qui doivent être prêts à tout donner. Et pour eux, quand on dit tout donner, c'est de la vie surtout qu'on parle. Parce que même si on peut rester des mois à combattre sans qu'il nous arrive rien, quand on part rejoindre l'Armée, faut s'attendre à mourir.

Oncle Moussa nous a déjà avoué que redescendre dans la vallée, pour un guerrier de la Montagne, c'est comme revenir de la mort à la vie, tellement ce qui se passe là-bas ressemble à rien de ce qu'on connaît au village. Alors on peut plus vivre chez soi comme avant. Y a quelque chose de brisé dans notre tête et notre cœur, comme si notre âme était une belle et grande mosaïque qui se défaisait en petits morceaux… Et ça nous empêche de vivre tranquillement entre les quatre murs d'une maison.

Mon père, lui, il croit que c'est un honneur de se sacrifier pour Dieu et le pays, et il prétend que s'il avait pas eu d'enfants, il serait tout de suite allé rejoindre l'Armée dans la Montagne.

J'ai souvent pensé qu'il racontait ça pour m'impressionner, pour que je le soupçonne pas d'avoir peur de se battre ou d'être lâche. Mais je l'imagine pas tirer sur quelqu'un. C'est pas son genre. Je veux dire, je suis sûr qu'il préférerait mourir que d'avoir ça sur la conscience. Alors je pense qu'il leur aurait plutôt nui, à ceux de l'Armée. En même temps, il a raison, c'est un honneur de se sacrifier pour les autres, et ça m'arrive de croire qu'il serait fier de moi si j'y allais à sa place, me battre là-bas.

Je lui ai même posé la question, juste pour voir. Il a eu l'air surpris, et il a presque souri. C'est rare que ça lui arrive, alors on le remarque. J'ai vu bouger un coin de sa bouche, mais là plus vite qu'un clin d'œil, je crois qu'on appelle ça un spasme. Comme il répondait pas tout de suite, je me suis dépêché d'insister : « Tu irais pas, toi, à ma place ? »

Il a franchement hésité, mais il a fini par répondre : « Non, mon fils, si j'étais toi, je resterais tranquillement dans ma maison, avec ma famille, et je penserais surtout à faire quelque chose d'utile. Par exemple, je ferais mes devoirs, et ensuite j'aiderais ma mère et ma tante à nettoyer la maison. Allez, va. »

Je l'ai pas trouvé très convaincant. C'était une drôle de façon de changer de sujet, en tout cas. Faire quelque chose d'utile, est-ce que ça doit se limiter à faire ce qu'on nous demande ? Je repensais à mon idée de partir d'ici pour aller en Europe, et je me disais que c'était une façon comme une autre de se rendre utile. Alors j'ai voulu entendre son opinion là-dessus.

« Et si, au lieu d'aller me battre dans la Montagne, j'allais pas plutôt de l'autre côté de la Mer pour trouver du travail ? Je pourrais ramener un tas de fric. Ça aiderait la famille, non ? »

Il m'a regardé avec des yeux sévères et les sourcils en V.

« Celui qui part de l'autre côté de la Mer, qu'il a dit, alors que c'est ici que Dieu l'a fait naître, celui qui abandonne son pays, sa maison, ses parents, alors qu'ils ont besoin de lui, et même s'il devient riche, il ne mérite plus d'être appelé un fils. »

∾

J'ai longtemps eu peur, mais vraiment peur d'une seule chose dans la vie, c'était de décevoir mon père et qu'il me regarde avec des yeux qui montraient qu'il était pas fier de moi. Comme le jour où j'ai perdu mon ballon neuf.

C'était le jour de mon anniversaire, et mes parents m'avaient offert un ballon de foot comme dans les matchs à la télé. C'était le plus beau jour de ma vie. Je le montrais à mes amis en le faisant tourner doucement dans un rayon de soleil. Je voyais, dans leurs yeux tout ronds, qu'eux non plus avaient jamais vu un ballon comme celui-là, aussi beau, aussi propre, aussi brillant. Je savais qu'ils étaient contents presque autant que moi, parce que c'est toujours plus amusant de jouer au foot avec un ballon neuf. On a l'impression de mieux jouer, de frapper plus fort, de courir plus vite, juste parce que le ballon est bien propre, sans aucune marque, et que ce qu'y a d'imprimé dessus, les couleurs et tout, est encore parfaitement visible. On se sent comme des pros, quoi. Parce que les pros, c'est clair, ils jouent qu'avec des ballons tout neufs.

Les mecs et moi, on s'est tout de suite dépêchés d'aller l'essayer. Mais au lieu d'aller jouer comme d'habitude dans la cour de l'école ou sur la place, comme on aurait dû faire, on était tellement pressés, tellement excités, qu'on est allés juste derrière les maisons, dans le petit champ qui sépare les cours et le ruisseau, alors que c'était le printemps et que le ruisseau s'était transformé en torrent. Et là, on a pas fait attention, évidemment, on a oublié où on se trouvait, on s'imaginait qu'on jouait pros dans un stade, on s'est fait des passes de plus en plus fortes et de plus en plus longues, et mon nouveau ballon est tombé dans l'eau. Il a été emporté très vite et très loin, en dehors du quartier, hors du village, peut-être même du pays, Dieu seul le sait.

Mais c'est pas ça le plus grave, dans mon histoire de ballon. Le plus grave, c'est que justement j'avais promis à mon père de pas jouer près du ruisseau. Juste avant que je sorte rejoindre les copains, il m'avait averti : « Surtout, n'allez pas jouer derrière, ça déborde. » J'avais répondu en refermant la porte : « D'accord, c'est promis ! »

J'ai vraiment eu peur d'être puni. Faut dire que pour m'offrir un cadeau comme celui-là, mes parents s'étaient vraiment démenés, ils avaient dû économiser durant des mois. C'est pour ça que j'ai fait croire à mon père que c'était Aïssaa qui l'avait envoyé dans l'eau, par accident. Je me disais que les petites filles, quand on les punit, on y va toujours assez mollo.

« T'en fais pas, papa, on le retrouvera sûrement, mon ballon, faut pas trop la disputer pour ça, Aïssaa… Même que ça vaut pas la peine de lui en parler, tu sais. Moi, je lui ai déjà pardonné. Ça arrive, ces choses-là ! Pauvre petite, elle a pas fait exprès… »

J'ai raconté ça sans vraiment le regarder. J'avais terriblement honte de mentir. En même temps, je savais pas que c'était inutile d'inventer une histoire. Il savait déjà tout. Parce que juste au moment où le ballon est tombé dans le ruisseau, Hava et ses amies venaient nous chercher pour le repas du soir et elles ont tout vu de loin. Nous, on regardait mon cadeau disparaître comme un rêve trop court, et on a pas su qu'elles étaient là. Hava s'est dépêchée de retourner à la maison pour tout raconter à mon père.

Quand je suis rentré, les mains vides, mon père m'attendait devant la porte de la cour. Il m'a demandé calmement où était mon nouveau ballon. C'est là que j'ai accusé ma petite sœur. J'avais peur de sa réaction, et ça m'a rendu stupide. Je cherche pas à excuser ce que j'ai fait. Je veux juste expliquer. Lui, il m'a laissé mentir. Il a pas prononcé un mot. Il m'a juste regardé d'une manière que j'oublierai jamais. Qui aime voir le mépris dans les yeux de son père ?

C'est après seulement que ma sœur m'a avoué qu'elle lui avait tout raconté. Hava, c'est comme si elle m'en voulait d'être plus libre qu'elle. C'est vrai quoi, parce qu'elle est une fille, elle peut pas sortir comme moi. On lui permet pas d'aller se promener dehors toute la journée avec ses copines dans les champs, près du ruisseau, au vieux cimetière ou ailleurs. Alors elle les voit au marché, ou dans la cour, quand les parents le permettent. Mais maintenant qu'elles ont l'âge de se marier, c'est de plus en plus rare.

Des fois, j'ai l'impression qu'elle est jalouse et qu'elle se venge un peu sur moi de la vie qu'elle a, ou plutôt de celle qu'elle aura pas. Faut dire que je la comprends. Elle doit s'emmerder pas mal à rester presque toujours à la maison.

À chaque fois qu'elle me voit sortir, elle me demande avec sa voix de grande sœur qui joue à la mère : « Où tu vas, Abram ? » Et moi je passe tout droit sans lui répondre, parce que c'est pas de ses oignons. Mais elle rajoute tout de suite : « C'est pour dire à maman. » Alors en sortant je lui dis où je vais, même si je suis pas obligé de lui répondre. C'est peut-être ma manière à moi de lui donner un peu de ma liberté. Je sais pas.

De toute façon, je me fous pas mal qu'elle sache où je vais et qu'elle le dise à mes parents. J'ai vraiment rien à cacher. On fait rien de mal, les potes et moi. Dans le village, y a pas tant d'endroits où aller. On peut jouer dans la cour de l'école, dans la rue ou dans le vieux cimetière, sur la colline. On voudrait bien jouer dans le Désert, dans la Forêt, dans la Montagne, au bord de la Mer, mais ici, comme endroits intéressants, y a que la cour de l'école, quelques rues et le vieux cimetière sur la colline. On s'amuse avec ce qu'on a. En tout cas, si mes parents me cherchent, ils savent toujours où me trouver, ils ont qu'à demander à ma sœur.

∾

Maintenant que j'ai décidé de partir, je sais que je vais décevoir mon père. Et ça me rend triste. J'oublie pas ce qu'il m'a dit : abandonner les siens, même pour faire fortune, c'est une sorte de crime. Alors quand je serai plus là, j'ai peur qu'il ait honte de moi et qu'il se mette en colère et qu'il dise à ceux qui voudront l'entendre : « Ce garçon ne fait plus partie de notre famille ! Nous allons effacer son nom de nos mémoires et de nos cœurs ! » Et tout plein d'autres mots de ce genre-là, qui veulent tous dire la même chose. Des mots qu'on prononce quand on est déçu et fâché, et qui font mal. Des mots qui peuvent pas s'oublier. Et je sais que ça ferait beaucoup pleurer ma mère.

L'an passé, quand le fils de nos voisins est parti... Je veux parler des troisièmes sur la gauche en remontant vers la place. Il a choisi de migrer vers l'Europe ; en tout cas, c'est ce qu'on a entendu raconter. Juste au moment de dire adieu à ses parents, il était dehors devant la porte de la maison et il tenait une petite valise brune et un chapeau tout neuf et il avait son manteau sur le bras, alors il s'est retourné et il a dit : « Adieu papa, adieu maman, je m'en vais. » Ma sœur Hava et moi, je me rappelle pas ce qu'on faisait là, je crois qu'on allait chercher papa au temple et qu'on s'est juste arrêtés pour regarder. On a vu le père faire un pas vers son fils :

« Ta place est ici, Haamet, pas ailleurs. Si tu pars, si tu nous abandonnes, alors c'est pour toujours. Tu ne pourras plus revenir ici, cette maison ne sera plus ta maison, ton père ne sera plus ton père, ta mère ne sera plus ta mère, ta famille ne sera plus ta famille. Est-ce que tu comprends, Haamet ? Tu seras un étranger pour nous et nous oublierons ton nom et ce sera comme si tu n'étais jamais venu au monde. Tu m'entends ? Alors pense encore, tu as le temps, Haamet, pense encore. Pense bien. »

Et le père attendait là, devant son garçon qui avait les yeux à terre, et on voyait un peu la mère cachée derrière la porte qui pleurait. Alors le fils a relevé la tête et il a dit avec une voix très douce, mais quand même une voix d'homme : « Que Dieu vous protège ! » Il a mis son chapeau et il est parti, comme ça, sans rien ajouter. Il a tourné les talons et il est parti. Il s'est éloigné tranquillement en descendant la rue. Il s'est pas retourné. On l'a vu tourner au premier carrefour et il a disparu.

Les parents sont restés là, quelques secondes, sans bouger, sans rien dire, en regardant la rue vide. Puis ils sont rentrés dans leur maison et ils ont refermé doucement la porte.

Ma sœur et moi, on a continué notre chemin sans se parler. La scène qu'on venait de voir nous avait touchés tous les deux. En tout cas, je voudrais pas entendre des mots pareils sortir de la bouche de mon père, si je lui disais doucement : « Adieu papa, que Dieu te protège ! » Ça me fait mal au cœur de l'imaginer en train de me répondre des choses comme celles-là, dans la rue, pour que tout le monde entende et sache. Qui veut être renié par sa famille le jour où il quitte sa maison ? Moi, je veux pas. Alors je vais laisser tomber les adieux. Si mon père réagissait comme le voisin devant son fils qui s'en allait, je serais le gars le plus malheureux du monde. C'est pas de la lâcheté... Je veux juste pas obliger mon père à prononcer des mots durs qu'il pourrait regretter.

Le jour où je reviendrai dans ma voiture neuve, quand il me rouvrira la porte de la maison, ce sera beaucoup plus facile de nous réconcilier s'il m'a pas auparavant renié devant tout le monde.

De toute façon, c'est décidé, je peux pas rester. C'est pas possible. Si je pars pas, la vie sera pire que la mort. Pourquoi se condamner à rêver en secret au destin qu'on aura pas eu ? Ou plutôt qu'on aura pas eu le courage de se donner ? À la longue, ça doit rendre terriblement triste et déprimé de toujours se contenter du minimum. Le proverbe dit : *Dieu offre à ceux qui osent.* Moi, je refuse de faire comme tout le monde et de renoncer à l'espoir.

Mais je sais que, pour mon père, ce sera comme si je lui enfonçais un poignard dans le cœur, que je parte comme ça, sans consulter personne, sans préciser où je vais, sans explications, sans excuses, alors qu'il espère tellement que je sois plus tard une sorte de double de lui-même.

Il pensera que je l'ai trahi, c'est sûr. Que j'ai trahi la famille et les ancêtres. Que j'ai trahi le pays, la Religion et les enseignements du Livre. Et tout ça, juste parce que je serai parti, comme le fils des voisins, et comme plein d'autres gars de mon pays, parce qu'il faut bien un jour essayer de vivre.

Le fils des voisins, il est pas revenu. Peut-être qu'il le fera bientôt, peut-être aussi qu'il reviendra jamais. Mais si un jour il devient riche, alors c'est sûr, il voudra le montrer fièrement aux gens du village. En tout cas, c'est ce que je ferais, moi, à sa place. Parce que se dire *Je pars pour toujours*, et choisir de jamais revoir son pays, ses amis, sa famille… c'est insensé.

D'abord, je pourrais pas renoncer à revoir Zaéma.

Moi, je vais partir juste le temps qu'il faudra pour revenir la tête haute. Je vais pas rentrer à pied, habillé en guenilles, comme le mendiant qui reste là, avec sa main ouverte, devant le temple, et qu'on chasse à grands coups de bâton. Non, je vais revenir nippé comme un patron de la ville et j'aurai dans ma voiture neuve une valise pleine de pognon. Une grande valise carrée, comme celle du gars dans le film que j'ai vu, une fois, à la télé, et qui traînait tout son argent avec lui. Avec un petit cadenas pour pas se faire voler.

Les gens du village me salueront poliment, les parents de Zaéma m'appelleront plus *le petit Abram*, comme ils font quand ils me voient, mais ils diront plutôt, en inclinant un peu le corps vers l'avant et en me prenant les mains avec respect : « Monsieur Abram… » Même qu'ils viendront me chercher chez mes parents et qu'ils me prie-ront doucement : « Cher monsieur Abram, viendrez-vous prendre le café dans notre humble maison ? » Ils répéte-ront qu'ils sont honorés que j'entre dans leur salon et toute la famille sera là et ils me regarderont tous, en souriant gentiment avec leurs yeux ronds comme des tasses.

Alors son père s'avancera vers moi avec son sourire des grandes occasions, il me touchera doucement le bras en me faisant un clin d'œil complice, puis il fera un geste vers Zaéma :

« Cher monsieur Abram, qu'il commencera, permettez-nous de vous présenter notre ravissante et précieuse fille, Zaéma. Mais je crois que vous la connaissez déjà…

— Oui, je la connais. »

Toi, Zaéma, tu rougiras, mais tu me regarderas droit dans les yeux, et tes yeux pleins de lumière me diront que j'ai eu raison de tout risquer.

∾

En fin de compte, j'ai bien réfléchi et je vais leur laisser une lettre, à mes parents, pour qu'ils sachent que je suis pas juste disparu comme un enfant fou dans la tempête. Ça les rassurera peut-être pas beaucoup, mais je vais tout leur expliquer comme il faut, leur présenter la vérité, quoi. Ma vérité. J'espère qu'ils comprendront, qu'ils prieront pour moi, pour que tout se passe comme on rêve, Zaéma et moi. Ils sauront pourquoi je suis parti, pourquoi c'était pas possible de rester. Je veux dire, est-ce que je pourrais vivre, moi, en la voyant tous les jours avec le maudit cousin ? Au marché, dans la rue, sur la place, les jours de fête ? Et même si je la voyais pas… parce qu'il pourrait bien l'em-mener vivre dans son village à lui, ce crétin. Juste de savoir qu'elle serait avec lui, qu'ils vivraient sous le même toit, qu'ils mangeraient, qu'ils dormiraient ensemble et tout, ça me rendrait complètement fou. Juste d'y penser, là, maintenant, ça me rend tellement triste que j'ai les yeux pleins de larmes… Je vois plus ce que j'écris.

Je sais bien que ça serait plus simple de faire comme me conseille Slimaann, d'accepter de perdre Zaéma, d'oublier tout ça et de vivre comme les autres. Est-ce que c'est ma faute si j'en suis incapable ? C'est simple, ça me met en colère, ça me révolte. J'entends mon cœur qui hurle : *Pas question ! Pas tant que je battrai dans ta poitrine !*

Je comprends pas comment on peut renoncer à ce qu'on aime le plus au monde, juste parce qu'on nous a demandé d'être raisonnable. J'ai dans la tête des images magnifiques où Zaéma et moi, avec nos sourires les plus sincères, on est en vacances au bord de la Mer. Depuis aussi longtemps que je me rappelle, je nous imagine heureux, dans des endroits merveilleux, en train de faire des trucs géniaux. Comment je pourrais échanger cette vision-là contre une vie sans rien de spécial, sans rien qui donne envie de vivre, comme celle qu'aura sûrement Slimaann ?

Dans le village, y a personne qui ose s'inventer un avenir extraordinaire. Ici, ça se limite toujours à des rêveries de pauvre. Mon père, il parle d'installer un jour l'électricité dans toute la maison et pas seulement dans la cuisine. Comme ça il aurait plus à allumer les lampes tous les soirs. Ma mère, elle aimerait qu'on change de maison, parce que la nôtre est trop petite et qu'on a pas assez d'intimité, qu'elle dit, mais elle voudrait pas vivre dans un autre village, et même je suis sûr qu'elle voudrait pas changer de rue.

Moi je parle d'une autre sorte de rêve, qui demande qu'on soit ni aveugle ni peureux. Il s'agit pas d'avoir envie que la maison soit plus grande ou que les lampes s'allument toutes seules, il s'agit de vouloir que la vie change pour le mieux, qu'elle soit plus aussi triste et sans espoir. Ça suffit plus qu'on ait juste l'air satisfait. Faudrait maintenant qu'on le soit pour vrai.

J'ai souvent l'impression qu'on s'est enfermés dans le passé, comme si les coutumes et les traditions étaient devenues notre prison. On nous demande de répéter les mêmes gestes, les mêmes paroles, les mêmes destins, encore et encore, juste parce que c'est comme ça qu'on a toujours fait. C'est simple, on arrive plus à penser les choses autrement. Par exemple, si on osait, on pourrait imaginer que les hommes renoncent à la guerre. Mais aussi, que les filles sont aussi libres que les garçons. Et surtout, qu'on a tous le droit d'aimer qui on veut. Parce que si y a pas d'amour, ça mérite pas vraiment de s'appeler un rêve. Tout ça, ce serait déjà pas mal. Je veux dire, ce serait une vraie révolution.

Au fond, c'est pas l'argent qui compte. C'est pas la voiture non plus. Ni que les autres me regardent avec des yeux pleins de respect et d'envie. Non. Ce qui est important, c'est Zaéma et moi. Qu'on soit ensemble tous les deux. Libres, tranquilles et heureux. C'est tout. L'argent, la voiture, les vacances, ça servira juste à ça.

∾

Y en a qui pourraient croire que ça tourne pas rond dans ma tête, que je divague. Pourtant je le jure, je suis pas fou, mais pas du tout. Au fond de moi, je sais que j'ai raison, je le sens, y a une force qui me pousse... ou bien qui me tire... Je sais pas comment le dire. En tout cas c'est là, en moi, ça m'oblige à avancer et je peux pas l'ignorer.

Souvent, la nuit, j'arrive pas à dormir tellement j'ai envie d'être ailleurs, loin, très loin. Et même quand je suis éveillé, ça me travaille, ça me fout plein d'images dans la tête, ça me rappelle sans arrêt que je perds mon temps en restant ici. Ça me dit que j'aurai pas deux chances de réussir ma vie et que je dois au moins tenter quelque chose, et vite. Sinon ça vaudra même plus la peine, il sera trop tard. Il faudra juste attendre la mort avec ça dans le cœur et dans la tête, je parle de l'idée que j'aurai pas eu le courage d'essayer, même si je rêvais qu'à ça, jour et nuit. Juste essayer.

Mais ce sera pas des vacances… Et ça fait peur, quand même. J'ai toujours rêvé de partir, d'aller voir ailleurs, de connaître le Monde, mais le faire pour vrai, tout seul, passer la Frontière, se rendre jusqu'à la Mer, et puis traverser de l'autre côté, et puis trouver son chemin dans des pays inconnus… Qu'est-ce qui m'attendra, là-bas ? J'en sais rien. Dieu me vienne en aide ! Faudra d'abord survivre. Pour le reste, on verra bien.

∾

Ce soir, y a rien de très clair dans mes pensées. Tout se mélange. Peut-être aussi que c'est moi qui mélange tout. Quand je me dis : *Je pars à la prochaine pleine lune,* j'ai l'impression qu'y a une partie de moi qui y croit pas. C'est comme quand un gars raconte à ses potes, pour se vanter, qu'il va réussir un truc extraordinaire ou dangereux, du genre sauter d'un bord à l'autre du ruisseau au printemps, alors que les autres savent bien qu'il peut pas ou qu'il aura même pas le courage d'essayer.

J'ai beau me répéter : *À la prochaine pleine lune, je partirai,* on dirait que c'est pas vraiment moi qui parle, ça sonne faux, comme si je doutais de moi-même en l'affirmant. Au fond, est-ce que je suis pas en train d'inventer tout ça, nos plans d'avenir, à Zaéma et moi, notre mariage, nos vacances au bord de la Mer ? Est-ce que c'est pas juste un mirage au milieu du Désert ? Ou une belle grande image en couleurs comme on en voit dans les livres d'histoires ? Est-ce qu'on s'est pas juste mis une idée impossible dans la tête, une idée qu'on doit pas écouter, qu'on doit pas suivre, à moins d'être naïfs et inconscients ?

∾

C'est à la Frontière que tout va commencer. Au-delà, c'est l'inconnu. Le Désert, la Montagne, c'est sûr, ça sera pas du gâteau, mais j'en ai tellement entendu parler que j'ai l'impression de les connaître, et ça me fait moins peur. Mais quand j'aurai passé la Frontière... même si oncle Moussa m'a raconté des bouts de son voyage vers l'Europe, j'arrive pas du tout à imaginer à quoi ça ressemble. Quand j'essaie, c'est complètement flou, comme quand on regarde un paysage à travers une fenêtre encrassée de poussière.

Sur la Montagne, si jamais je suis repéré par des soldats de l'Armée de Dieu, alors c'est sûr, ils vont me demander pourquoi je suis venu, et il faudra que je leur explique. J'imagine qu'ils essaieront de me faire renoncer à mon plan. Peut-être même qu'ils voudront me forcer à retourner au village. Ou alors ils insisteront pour que je me joigne à eux.

En tout cas, j'espère qu'ils me laisseront passer. Sinon, je devrai les suivre jusqu'à leur camp, et je pourrai pas faire autrement que de tomber sur oncle Moussa. Il pensera sûrement, en me voyant arriver, que je suis venu me battre à ses côtés. Il sera content, il sera fier de moi. Il voudra me présenter aux autres : « Voici mon neveu, Abram, c'est un brave garçon. » Juste d'y penser, ça m'angoisse. Il sera très déçu, il sera triste, peut-être même qu'il se mettra en colère quand je lui avouerai que je suis pas allé là pour me battre, que j'ai d'autres ambitions, que je fais que passer. J'espère qu'il comprendra. Au moins, qu'il cherche pas à me retenir.

Ceux qui sont là-bas luttent en héros et il faut les bénir pour ça, mais moi, je vais pas m'arrêter, je vais passer tout droit, sans hésiter, sans regret. J'ai choisi un autre destin. Je suis pas prêt à mourir dans la Montagne, même si ça ferait de moi un martyr. Je suis pas prêt à me sacrifier. Pas tout de suite en tout cas. Y a trop de choses à vivre, trop de choses à voir, trop de choses à faire. Surtout, j'ai pas encore été assez heureux pour dire que j'ai eu ma part de bonheur. Mourir maintenant, ça serait pas juste.

Je sais qu'y en a beaucoup à qui ça arrive, de mourir trop tôt pour pouvoir dire qu'ils ont vraiment vécu. Et c'est peut-être la chose la plus triste au monde, même si se sacrifier pour les siens est très honorable. La famille d'un soldat de l'Armée mort à la guerre est toujours très fière de son fils. Elle parle souvent de lui et elle pleure beaucoup le jour de la Fête des martyrs. Ce jour-là, les mères reniflent et se mouchent, et les pères regardent leurs souliers pour pas qu'on voie leurs yeux remplis de larmes.

Mais si on doit mourir de toute façon, si y a pas d'autre solution, et surtout pas d'espoir, alors c'est peut-être aussi la plus belle des morts, pour un gars comme moi en tout cas : mourir pour que les autres vivent et pleurent sur son tombeau. Quand je serai plus vieux, quand j'aurai une belle maison, des enfants qui rient dans la cour, Zaéma tout près de moi, quand j'aurai tout ce que je veux vraiment, alors je crois que je serai prêt à mourir, pour mon pays, pour mon peuple, pour mon village, si y a encore la guerre, évidemment. Parce qu'alors ma vie aura assez de valeur pour qu'en la donnant je sacrifie vraiment quelque chose.

Sinon, qu'est-ce que ça peut valoir comme geste, d'aller se faire tuer juste parce qu'on a rien de mieux à faire, rien de mieux à donner que son corps, parce que de toute façon on a renoncé au bonheur ou qu'on y a jamais cru, ou encore parce qu'on a simplement plus envie de vivre ? Mourir pour toutes ces raisons-là, c'est pas se sacrifier, c'est se venger du destin, et ça rend triste juste de penser qu'on puisse en arriver là.

Moi je veux mourir heureux, c'est tout, et je suis pas prêt à faire semblant !

Oncle Moussa

Quand j'étais petit, le Monde dépassait pas vraiment les murs de la maison, ou le bout de la rue, ou bien ç'avait juste l'air d'un tas de taches multicolores sur une grande feuille de papier qu'on gardait enroulée dans un coin, dans la classe. Mais un jour, y a des choses qui sont devenues évidentes, comme si mes yeux voyaient pour la première fois et comme si les choses, sans changer de forme ni de couleur, avaient plus du tout le même sens.

C'est beaucoup grâce à oncle Moussa que mon esprit s'est ouvert. Quand il vivait à la maison, il m'a souvent raconté ce qu'il avait vécu dans ses voyages. Il me parlait aussi de ses lectures. Il voulait que je comprenne que le monde est pas comme on s'imagine quand on sort jamais de son village. Il me disait : « Les limites, les frontières, ça n'existe que dans la tête des gens. Méfie-toi des apparences. Le monde est une illusion. Il y a derrière les choses des vérités qui restent cachées à la plupart des hommes, des vérités qui pourtant changent tout. » Il m'expliquait qu'y a rien de figé pour toujours, que les choses peuvent évoluer et s'adapter à ceux qui viennent après nous.

Il voulait que je sache qu'y a pas juste une, mais qu'y a plein de possibilités. Sans lui, est-ce que j'aurais appris à regarder au-delà des murs qu'on se construit dans notre tête ?

Ça a changé ma vie de découvrir qu'on peut partir d'ici, comme il a fait, qu'on peut aller à l'autre bout du monde et en revenir. D'apprendre qu'on est plus libre qu'on croit. Que tout est pas décidé d'avance. Et que si on est pas heureux, on est pas obligé de rester là où on est, à attendre je sais pas quoi, un signe de Dieu qui viendra pas, qui viendra plus, parce que c'est déjà trop tard.

Quand on l'écoute, oncle Moussa, juste à sa façon de parler, à sa voix, aux mots qu'il utilise, aux grandes phrases qu'il arrive à formuler sans se perdre dans ses idées, on comprend qu'il a pas vécu la vie normale des hommes du village.

D'habitude, les gens, on les devine tout de suite. C'est comme si toute leur vie était écrite sur leur visage et dans leur corps. Je veux dire, suffit de les regarder deux minutes pour savoir qui ils sont, et surtout qui ils sont pas. Mais oncle Moussa, le regarder, c'est comme contempler le Désert immense qui s'étend jusqu'à la Montagne. D'abord on a l'impression que ses yeux sont vides, un peu comme ceux des aveugles, puis on est frappé et troublé par leur profondeur, comme si ses pupilles cachaient un espace grand comme le ciel.

Ça fait presque un an maintenant que je l'ai pas revu. Il me manque, même s'il avait déjà pas mal changé quand il est allé rejoindre l'Armée et qu'on s'entendait plus aussi bien qu'avant. Je voudrais qu'il soit juste là, à côté de moi, que je puisse lui parler comme quand il vivait à la maison.

Je voudrais qu'il sache que j'ai décidé de partir. J'aimerais entendre ce qu'il en pense, qu'il me dise quelque chose, n'importe quoi. Je voudrais aussi qu'il me donne des conseils pour m'aider à traverser le Désert sans trop de danger, pour m'indiquer le chemin à prendre, celui à éviter, pour me rappeler où sont les points d'eau. Il me l'a dit cent fois déjà, mais je voudrais qu'il me le redise une dernière fois avant mon départ, pour être sûr. J'ose pas en parler avec mon père, il pourrait deviner mon plan. De toute façon, il l'a traversé que deux fois, y a longtemps. C'était avant son mariage avec maman. Il était avec d'autres plus vieux qui connaissaient le chemin. Il s'est rendu jusqu'à la Montagne en pèlerinage et il est revenu. Alors on peut pas dire que c'est un expert, même s'il aime en parler comme s'il avait passé toute sa vie au milieu du sable. C'est pas son genre de prendre les devants et de mener les autres, et je suis sûr qu'il a dû se contenter de suivre ceux qui marchaient devant.

Oncle Moussa, lui, il connaît le Désert comme le fond de sa poche. Il connaît tous les chemins des anciens nomades, même les chemins secrets, et il sait exactement quoi faire pour pas se perdre. Et surtout... pas mourir en route.

Il a vécu longtemps avec nous, à la maison. Il dormait dans le salon. Quand elle lui parlait, maman disait souvent, et y avait toujours comme une accusation dans sa voix : « Pendant que tu étais en France, à l'u-ni-ver-si-té... » Elle prononçait ce mot-là en faisant une grimace bizarre, comme si ça lui faisait mal à la bouche. Pour moi, c'était qu'un long mot, je me demandais pas ce qu'il signifiait.

Quand on est un petit garçon, on s'intéresse pas vraiment aux conversations des adultes, surtout les sérieuses. On entend les mots sans les enregistrer. On s'en fout, quoi.

Puis un jour, à l'école, je sais plus quel âge j'avais, sept ans peut-être, le professeur a déroulé la grande carte devant nous. C'était pas la première fois qu'on la voyait, mais comme à chaque fois, on faisait pas vraiment attention. Autrement dit, on comprenait pas ce qu'on regardait. Le professeur avait beau nous expliquer : « Voici le Monde, les enfants, avec les océans, les fleuves et les montagnes », pour nous c'était qu'un dessin compliqué qui ressemblait pas du tout à la vie qu'on connaissait. On avait toujours hâte qu'il remballe tout ça et qu'il nous envoie à la récré.

Mais cette fois-là, Dieu sait pourquoi, mes yeux ont été attirés par les couleurs et les formes, et je me suis amusé à lire les noms de quelques pays, au hasard. C'est là que j'en ai vu un que je connaissais bien, parce que je l'avais entendu cent fois sans faire attention. C'était la France. Et j'ai vu où ça se trouvait. Et qu'il fallait sûrement voyager très longtemps pour se rendre jusque-là. J'ai vu tout ça d'un coup, et ça m'a bouleversé.

J'ai compris qu'oncle Moussa était pas un homme comme les autres, qu'il devait avoir accompli des trucs extraordinaires et vécu des aventures pas croyables quand il était jeune. Alors j'ai commencé à être plus attentif à ce qu'il racontait, et j'ai remarqué qu'il était le seul à avoir vu et entendu un tas de choses inconnues au village, qu'on soupçonnait même pas, mais qui étaient aussi vraies que le sable et le vent.

Ma mère lui reprochait aussi de pas avoir été là quand leur père est mort, et c'est tout juste si elle l'accusait pas de l'avoir tué :

« Il était tellement fier de toi. Il misait tout sur toi. Mais tu as abandonné… Il disait que ça lui aurait fait moins de peine d'apprendre que tu étais mort. J'étais enceinte d'Abram, maman était déjà épuisée par tout le travail à la maison, Yessef n'avait plus de travail (l'atelier où travaillait mon père avait brûlé), et j'ai dû m'occuper de tout le monde toute seule. On n'arrivait pas à joindre les deux bouts. On a eu faim, tu comprends, Moussa ? On a eu faim ! Et on a eu honte ! Et tout ça c'est parce que tu…

— Moi aussi, Mariam, j'ai eu faim, j'ai eu froid, j'ai manqué de tout. Et j'ai eu honte.

— Pfft ! Mais qu'est-ce que tu faisais, hein, en France ? Des études ! Est-ce qu'on avait les moyens, nous, de te payer des études ? En France, tu t'imagines ! À l'autre bout du monde ! Et puis tu es revenu sans rien, sans diplôme, sans argent, sans métier. Et là, tu vis comme un prince dans ma maison. Tu passes ton temps à flâner dans la rue ou à dormir dans le salon…

— Je ne dors pas, tu sais bien. Je lis. Je m'instruis. Je réfléchis. Et je peux bien sortir prendre l'air, non ? Si tu me cherches, tu me trouveras toujours au temple.

— Mais à quoi ça te sert de t'instruire ? Tu y vas encore, peut-être, à l'u-ni-ver-si-té ?

— Non, tu as raison, je n'y vais plus. Je me prépare à autre chose.

— Pfft ! Et à quoi ?

— À la guerre. Le pays a moins besoin d'universitaires que de soldats.

— Pfft ! Est-ce que c'est dans les livres qu'on apprend à être un bon soldat ? Qu'est-ce qui te prend aussi de vouloir te battre ? Tu as envie de mourir ? Je ne te reconnais plus… Je vais te le dire, moi, ce que c'est, ton combat : c'est de te trouver un métier, une maison à toi et une femme, c'est de devenir un homme, un vrai, un chef de famille.

— Tu ne peux pas comprendre. »

Quand elle a appris qu'il partait pour la Montagne rejoindre l'Armée de Dieu, elle lui a reproché d'être ingrat et égoïste, elle lui disait qu'après tout ce qu'elle avait fait pour lui, il avait rien trouvé de mieux pour la remercier que de se faire tuer sans raison. « Où il est, qu'elle a demandé, le petit Moussa qui promettait de nous rendre riches et heureux ? »

Il lui a répondu qu'il fallait pas vivre dans le passé :

« Celui dont tu parles n'existe plus, Mariam, et depuis longtemps. Il est resté là-bas, avec mon innocence. Je ne suis pas le même homme.

— Même homme ou pas, tu n'as jamais voulu vivre comme les autres, et là, tu refuses de travailler...

— Arrête, je ne veux plus en entendre parler. Tu ne peux pas comprendre. Il y a des hommes qui sont nés pour le travail et d'autres qui sont nés pour...

— ... pour vivre comme des princes ?

— Non, pour guider les autres, pour être des chefs de peuple, pour donner l'exemple...

— Pfft ! »

Oncle Moussa déteste quand ma mère lui parle sur ce ton-là. Mais faut lui donner ça, il garde son calme. Il est habitué que ma mère le juge, alors il la laisse parler et surtout il évite de lever le ton. C'est sa sœur, quand même, sa sœur aînée, alors il la respecte, même si elle trouve toujours des choses à lui reprocher.

Au fond, ma mère l'aime beaucoup, c'est juste qu'elle s'en fait pour lui. Surtout depuis qu'il a décidé de se joindre à l'Armée de Dieu. Elle est absolument convaincue qu'il mourra sur la Montagne ou qu'il se fera prendre par l'Ennemi et qu'on le reverra jamais. Ou pire, qu'il reviendra avec une blessure horrible, qu'il pourra plus travailler ni aider à la maison et qu'on devra le soigner le reste de sa vie. Tout ça, c'est des trucs que je l'ai souvent entendue répéter.

Non, oncle Moussa parle jamais de quand il étudiait en France, à l'université. Et je trouve ça bizarre, parce qu'il m'a parlé de tout le reste, par exemple des pays qu'il a dû traverser pour se rendre là-bas, et même qu'il disait :

« Quand on a vu un peu le Monde, on a beaucoup de choses à raconter. On a tellement d'images et de souvenirs dans la tête que ça déborde comme une fontaine et qu'on ne peut pas s'empêcher de les partager. »

Pourquoi est-ce que ces souvenirs-là restent au fond de sa mémoire comme au fond d'un puits ?

J'ai jamais osé lui poser directement la question. J'ai peur que ça le dérange ou que ça le fâche, et qu'il me reproche de pas me mêler de mes oignons. Quand même, je peux pas m'empêcher de rêver à la France, comme si ce pays-là était moins inconnu et étrange que les autres, juste parce que je connais quelqu'un qui l'a vu, qui a goûté à ses fruits et bu de son eau. Et quand le professeur déroule la carte devant nous, j'essaie toujours de bien regarder où ça se trouve par rapport à ici, et de m'en rappeler comme si la carte était dessinée dans ma tête. Comme ça, j'aurai une bonne idée de la direction à suivre quand j'aurai passé la Frontière.

C'est seulement une fois qu'il a été parti de la maison que j'ai osé demander un jour à maman de m'expliquer (juste par curiosité, que je lui ai dit) ce qu'il était allé faire en France, et pourquoi il en parlait jamais. Elle a arrêté de peler les légumes, a laissé tomber ses mains sur la table et s'est mise à réfléchir, comme si des tas de souvenirs lui remontaient en même temps dans la tête.

Puis elle m'a raconté :

« J'avais cinq ans quand ton oncle est né. Dès ce jour-là, ton grand-père et ta grand-mère ont tout fait pour trouver l'argent qu'il fallait pour lui payer des études. Ils avaient décidé que leur petit Moussa serait instruit et qu'il deviendrait riche, et qu'alors il pourrait aider la famille et le village à sortir de la misère. Ils ont réussi à économiser, même si on était pauvres ; ils ont aussi beaucoup emprunté, à la famille, aux amis. Ma mère a commencé à coudre et à réparer des vêtements toute la journée, et souvent tard la nuit, pour ramasser un peu plus d'argent, parce que mon père ne pouvait pas, tout seul, avec son petit salaire d'ouvrier. Moi, même si je n'étais encore qu'une enfant, j'ai dû m'occuper du ménage à la place de maman, et je travaillais dur. Mais j'étais contente qu'il ait cette chance-là, mon petit frère, et j'y croyais vraiment. Comme les autres, j'étais fière de lui. Tu comprends, il était l'espoir de la famille. Il allait devenir docteur, qu'on racontait à tout le monde. Et nous, on rêvait au jour où il reviendrait au village riche et heureux, dans sa nouvelle voiture. Avant lui, tu vois, personne chez nous n'avait pu étudier ni voyager ni rien, alors vraiment on rêvait avec lui.

— C'est pour devenir médecin qu'il est allé en France ? Mais qu'est-ce qui s'est passé, là-bas, pour qu'il revienne avant d'avoir réussi ? »

Elle a pas répondu tout de suite. Elle hésitait. Je sentais bien que c'était pas une question facile. En même temps, c'était clair qu'elle avait envie de me répondre.

« Au début, tout s'est bien passé. Il étudiait, ses notes étaient bonnes. Il nous envoyait des copies de ses bulletins et mon père allait cogner chez les voisins pour leur faire voir, pour leur faire dire que le petit Moussa faisait honneur à sa famille, à son village. En plus de ses cours, il avait trouvé des petits boulots, chez un marchand de livres, dans un atelier de ferraille, chez un boulanger. Il nous racontait tout ça dans les lettres qu'il nous envoyait souvent. Il nous envoyait aussi de l'argent, pas mal d'argent. C'était des billets pleins de couleurs que ton grand-père allait changer en ville pour de la monnaie du pays. Alors on a mieux vécu. Surtout, ça nous montrait qu'on avait eu raison de croire en lui. Mes parents disaient, à chaque fois qu'on leur parlait de leur petit Moussa chéri : "Béni soit le Seigneur de nous avoir donné un tel fils !"

« C'est à cette époque-là qu'on s'est mariés, ton père et moi. Y a jamais eu de plus belles noces dans l'histoire du village. Mon père avait économisé une bonne partie de l'argent d'oncle Moussa, alors il a mis le paquet. Il disait : "Ma fille mérite mieux qu'un mariage de pauvres." Alors il a invité tout le village, et pendant trois jours, on a mangé, on a dansé, on a chanté, en remerciant le ciel et oncle Moussa. Il voulait tellement que les autres voient comme il était heureux, comme sa famille était heureuse, comme la vie était belle. Il désirait partager sa bonne fortune avec tout le monde.

« Mais il est arrivé quelque chose... Dieu sait quoi. D'abord ton oncle n'a plus envoyé d'argent. Puis il a cessé de nous écrire et on n'a plus eu de nouvelles de lui pendant des mois. Tout le monde s'inquiétait, on s'imaginait les pires scénarios, on se disait qu'il lui était arrivé quelque chose de grave. Je n'ai jamais autant prié de toute ma vie. Puis on a reçu une lettre... Il disait qu'il avait abandonné l'université, qu'il n'avait plus d'argent, qu'il cherchait à en trouver, et finalement qu'il reviendrait dans le pays aussitôt qu'il le pourrait. Mon père, ça l'a tué. Quand il a compris que son fils avait échoué, que le rêve de toute la famille était brisé, il est tombé malade. Il avait tellement honte qu'il n'osait plus sortir, il n'allait plus au temple, il ne voulait plus rencontrer ses amis ni ses voisins. Il toussait, il se plaignait d'avoir mal partout. Je ne pouvais pas prendre soin de lui autant qu'il aurait fallu, j'étais enceinte de toi, et je ne me sentais pas toujours bien moi-même. Ta grand-mère a fait ce qu'elle a pu pour le sauver, mais il ne voulait plus vivre... Il est mort au septième mois de ma grossesse.

« Puis un jour, sans prévenir, après plus d'un an de silence, ton oncle est rentré au village. Il ne lui restait que les vêtements sales et déchirés qu'il avait sur le dos, et dans sa valise, des livres. Il était malade. Il était maigre. Il faisait pitié à voir. On a eu beau le questionner mille fois, lui demander des explications, des raisons, on n'a jamais su ce qui s'était passé. »

Il est parti du village à vingt ans. J'ai une photo de lui à la maison que je garde dans une boîte. Je l'ai trouvée dans les affaires de ma mère. C'était pas voulu de lui prendre quelque chose… Je veux dire, c'est par hasard que je l'ai trouvée. Elle était dans le fond d'un tiroir, dans sa chambre, et moi je cherchais je sais plus quoi, du papier, je pense, et j'ai vu la photo sous des lettres et d'autres trucs. Alors je l'ai prise et je la garde, parce qu'elle montre combien il a changé, oncle Moussa. Ça me frappe à chaque fois de le voir aussi jeune. Il a pas de barbe, il a les cheveux bien peignés par-derrière comme un garçon de la ville, et il porte un veston et une cravate. Il sourit doucement, il a l'air un peu maladroit, on dirait que son costume est un peu trop grand pour lui, mais quand même il a les yeux brillants et il a l'air heureux. Il me fait penser à un gars qui se prépare à aller chercher sa fiancée dans sa nouvelle bagnole. Il a pas l'air de se poser trop de questions. Quand je regarde cette photo-là, je me dis qu'il a dû lui arriver quelque chose de vraiment douloureux, là-bas, pour qu'il perde son sourire de prince.

Il est revenu au bout de quatre ans. J'étais haut comme trois pommes, mais je me souviens encore de son arrivée. Pendant longtemps, il est resté sans bouger dans un coin du salon. Il disait rien, il mangeait presque pas, il dormait beaucoup et il fallait pas le déranger. Hava et moi, on avait un peu peur de lui. Y avait quelque chose de bizarre dans ses yeux, comme s'il arrivait pas à nous voir, même quand il nous regardait. Il avait l'air très malheureux. Il faisait penser à un vieux chien qui soupire sous un arbre en attendant la mort. Ça a duré quelques années, cette vie-là. On s'est habitués à lui, on savait qu'il était là, mais on s'occupait pas de lui. Il était comme un des meubles de la maison.

Mais un jour, en rentrant de l'école, j'ai ouvert la porte de la cour et j'ai vu qu'il était juste là, assis sur le banc, et ça m'a tellement surpris que j'ai sursauté. Lui, il a levé la tête et j'ai pensé pendant une seconde refermer la porte et retourner dans la rue, mais il m'a souri et m'a fait signe de venir m'asseoir près de lui, et j'y suis allé. On aurait dit un autre homme. Il était en train de lire le Livre. C'était l'exemplaire de mon père, qu'il avait emprunté. Il m'a expliqué, ce jour-là, qu'il avait été très malade, mais que maintenant il allait mieux, qu'il s'excusait de pas avoir été plus gentil avec nous pendant toutes ces années, et que ça allait changer.

Alors il a commencé à se mêler à nous. Il parlait, il écoutait, il souriait. Le soir, il nous racontait des bouts de son voyage, il nous décrivait des endroits qu'il avait vus, il parlait des gens qu'il avait rencontrés, surtout ceux qui avaient traversé la Mer avec lui et qui, comme lui, avaient tout quitté pour tenter leur chance en Europe.

Je l'écoutais les yeux tout ronds, la bouche ouverte, en me demandant si je devais tout croire, tellement des fois c'était aussi extraordinaire que les contes que nous lisait le professeur, à l'école.

Les mois suivants, il a rien fait d'autre que lire, le Livre surtout, mais aussi les bouquins qu'il avait ramenés dans sa petite valise. Il m'expliquait qu'ils étaient écrits par des hommes savants, qu'ils permettaient de mieux comprendre pourquoi le monde est comme il est, et surtout ce qu'il faut faire pour le transformer. Il prenait souvent des notes dans un petit cahier qu'il gardait toujours avec lui. Le reste de son temps, il le passait au temple à discuter avec le prêtre et avec d'autres hommes qui aimaient comme lui parler du Livre et de la Religion.

Ça l'a complètement bouleversé de les entendre lui raconter l'invasion, la destruction des villages de la vallée, les crimes impardonnables de l'Ennemi, la mort héroïque de nos hommes au combat. Ils l'ont conduit au cimetière pour qu'il voie les tombes et le grand panneau où sont peints les visages de nos martyrs, avec leurs noms en dessous en belles grandes lettres.

En France, il avait vaguement entendu parler de l'attaque, mais il avait jamais réussi à avoir des détails. Personne semblait s'intéresser à ce qui se passait ici, comme si c'était trop loin pour être important. Donc, c'est qu'une fois revenu ici qu'il a tout su. Immédiatement, qu'il m'a raconté, il a ressenti une colère énorme contre l'Ennemi, et c'est comme si cette colère-là l'avait sauvé, grâce à Dieu, et lui avait donné un nouveau destin.

Le jour où il était rentré au village, après cinq ans d'absence, l'espoir qu'il avait de devenir médecin, de devenir riche, de réussir sa vie et de rendre sa famille bien fière de lui, tout ça s'était évaporé. Il lui restait qu'un grand trou à la place du cœur. La haine de l'Ennemi a rempli ce trou comme le mort emplit la tombe.

C'est à cette époque-là qu'il a commencé à raconter qu'il fallait absolument « relancer la Guerre sainte ». Parce que ces idées-là, en tout cas selon ma mère, il les a eues qu'après son retour dans le village, quand il a commencé à fréquenter le temple et qu'il a rencontré des soldats de l'Armée de Dieu. Tout à coup, il s'est mis à répéter que les hommes du pays devaient s'unir et partir pour la Montagne, que notre devoir religieux était de vaincre l'Ennemi, une fois pour toutes, « pour la gloire de Dieu et le salut de nos âmes ». Cent fois, au moins, il nous a rappelé le sens des mots *dignité* et *sacrifice*, tellement qu'à la fin, ça nous agaçait un peu. Il disait que tout le sens de la vie se trouvait là, dans ces deux mots qui traçaient maintenant son destin, et qui devaient tracer celui d'autres guerriers comme lui.

Oncle Moussa croit que Dieu choisit certains hommes spécialement pour agir en son Nom, pour être la tête, la bouche et les yeux de son peuple, pour qu'ils voient ce que les autres voient pas, pour qu'ils parlent quand les autres sont muets et pour qu'ils montrent le chemin à suivre quand les autres sont perdus. Il croit qu'il a été choisi, lui, pour être un de ces hommes-là. Il l'a compris, qu'il m'a raconté, dans le salon chez nous, en lisant un passage du Livre qui disait qu'y a pas de plus noble métier que de servir le Seigneur. C'était comme si on lui enlevait une longue épine empoisonnée qui transperçait son âme. Il a vécu ce moment-là comme une révélation, et comme un miracle. Il s'est senti revivre, ses yeux se sont rouverts, le voile noir qui cachait le monde est tombé et il a vu les choses comme elles sont vraiment.

En tout cas, c'est ce qu'il m'a raconté, et je veux bien le croire. J'ai pas de raison de douter que le Livre puisse avoir cet effet-là sur quelqu'un comme lui, qui en sait plus que tout le monde et qui arrive à comprendre des trucs telle-ment compliqués. Mais je me demande comment on peut penser que Dieu nous a choisi, je veux dire, personnellement. Comment être sûr que c'est pas juste des histoires qu'on se raconte, des idées qu'on se fait et qu'on est le seul à avoir dans la tête ? Comment jurer qu'on a pas juste perdu la raison ?

Il m'a déjà dit : « Un jour vient, Abram, où le Seigneur nous fait signe. Ce moment-là n'arrive qu'une fois, alors il ne faut pas le manquer. Pour toutes sortes de raisons, la plupart des hommes ne le voient pas, ils ne peuvent pas le voir, et ils continuent à attendre et à attendre, et ils attendront jusqu'à la fin, en se demandant pourquoi Dieu les a oubliés ou simplement ignorés. C'est dans ton cœur, Abram, que tu trouveras ce que tu cherches. Au plus profond. C'est là qu'Il fera appel à toi. »

Tout ça, moi, ça me dépasse. Non mais, c'est fou l'audace que ça prend pour suivre un signe, même si c'est Dieu qui l'envoie ! Surtout quand ça invite à se lever et à partir à la guerre ! Faut pas se tromper, quoi ! Et si ça se présente qu'une fois, comme le dit oncle Moussa, alors faut être bien convaincu, bien décidé, et extrêmement courageux.

En tout cas, si ça permet d'accomplir des choses extraordinaires et qui donnent un sens à la vie, c'est sûrement ce qu'y a de plus important, le courage, après l'amour.

∾

C'est bizarre, parfois, comment le ciel organise les choses. Ces dernières semaines, j'ai beaucoup pensé à oncle Moussa. J'essayais d'imaginer le genre de conseils qu'il me donnerait s'il était là et que je lui confiais que je pars. Puis hier, sans prévenir, il est arrivé à la maison. Tout seul. Il est descendu de la Montagne et il a marché jusqu'ici. Comment expliquer un hasard comme celui-là ? Est-ce Toi, Seigneur, qui lui as fait entendre les cris de mon cœur, comme s'ils étaient passés par-dessus les collines et avaient traversé le Désert jusqu'à lui ?

En tout cas, il m'a beaucoup parlé, et peut-être qu'il aurait fallu que je l'entende pas. Parce qu'il m'a dit des trucs qu'il m'avait jamais dits jusque-là et qui me restent dans la tête, comme le sable qu'on arrive jamais à tout balayer après la tempête. Des choses qui me troublent. Qui me font douter. Et j'ai les idées encore moins claires qu'avant.

Il est arrivé à la tombée de la nuit, juste après le repas du soir. J'étais installé dans ma chambre près de la lampe, j'écrivais dans mon cahier. Une lettre à Zaéma. Il est venu me saluer, il m'a surpris. On s'est serré la main comme des vieux potes contents de se revoir. On s'est parlé deux minutes. J'en revenais pas qu'il soit là. Étrangement, je savais pas trop quoi lui dire, j'étais content et gêné en même temps. Il m'a expliqué qu'il avait révélé à personne qu'il venait, qu'il était en mission secrète, mais que demain on prendrait le temps de discuter comme il faut, lui et moi. Il a regardé le cahier une seconde, j'ai eu le réflexe de le refermer. Il a un peu froncé les sourcils, mais il m'a pas questionné. Il avait l'air complètement crevé. Il m'a souhaité bonne nuit, il est allé rejoindre mes parents dans le salon, il a mangé un peu et il s'est couché.

Ce matin, quand on s'est retrouvés tous les deux dans le vieux cimetière, il m'a expliqué qu'il venait au village pour rencontrer des hommes qui aident l'Armée de Dieu en organisant le ravitaillement à partir de la capitale.

C'est de plus en plus difficile de trouver des volontaires prêts à traverser le Désert pour se rendre jusqu'au camp principal de l'Armée. Depuis quelques semaines, l'Ennemi contrôle une partie de la vieille route, au pied de la Montagne, juste où elle fait un crochet pour contourner des rochers et rejoindre les chemins plus petits et mieux protégés qui montent jusqu'au sommet. On a pas le choix de passer par là, qu'il m'a dit, si on transporte de la nourriture et du matériel en grande quantité.

L'Ennemi s'est installé sur une colline qui domine la route et ils tirent sur tout ce qui bouge. Pour les empêcher d'attaquer les convois, l'Armée a placé des soldats juste en face, à la même hauteur, sur le flanc de la Montagne.

« Les hommes doivent maintenant passer entre deux feux, qu'il a raconté, et plusieurs sont morts déjà. Alors même si on les paie bien pour ça, ceux du village n'osent pas, ils n'osent plus, ils ont peur. Je les comprends. Ils ne sont pas prêts à mourir, même s'ils sont prêts à nous aider. »

La nuit dernière, j'ai très mal dormi. J'étais agité, je faisais des cauchemars, et ça m'a épuisé. Je sais pas si c'est à cause d'oncle Moussa… Je veux dire, même si j'ai souvent pensé à lui depuis qu'il est dans la Montagne, même si j'ai franchement regretté son absence, je m'attendais pas à le revoir avant de partir. J'étais pas préparé à ça, quoi. Je savais que je pourrais pas lui faire croire que j'allais bien, qu'il chercherait à comprendre ce qui clochait, qu'il faudrait que je lui avoue des trucs difficiles, que je pouvais pas éviter cette épreuve-là, et ça m'a vraiment stressé.

En tout cas, ce matin, je me suis réveillé beaucoup plus tard que d'habitude, et je suis resté longtemps dans mon lit à regarder le plafond. C'est congé d'école aujourd'hui. On célèbre la fête des Exilés, c'est-à-dire ceux qui jadis, comme ma grand-mère, ont dû fuir les villages des collines pour venir s'installer ici. Alors mes parents m'ont laissé tranquille. J'entendais oncle Moussa et mon père discuter dans le salon, pendant que ma mère et ma tante préparaient la nourriture dans la cuisine. D'ordinaire, je me serais levé d'un coup. Je me serais habillé en vitesse et je serais allé saluer tout le monde. Mais je voulais pas. Ou plutôt, je pouvais pas.

Je savais bien que je reverrais pas oncle Moussa avant longtemps et j'avais honte de pas agir normalement, de pas simplement me dépêcher d'aller le rejoindre, et je me disais qu'il serait peut-être vexé par mon attitude.

Mais je pouvais pas sortir de ma chambre. J'étais trop triste, trop défait par le chagrin, tellement que je me reconnaissais pas. J'essayais de pas pleurer, mais des larmes glissaient quand même sur mes joues, comme des gouttes de pluie sur le sable. Je voulais pas qu'on me voie dans cet état-là. Je voulais pas avoir à répondre aux questions.

Tout ça parce que, la nuit dernière, j'ai fait un cauchemar horrible qui m'a complètement déprimé. J'étais dans la rue juste devant la maison. Zaéma et le cousin sont passés sans me voir. Ils marchaient ensemble tranquillement, comme on fait toujours elle et moi, en se tenant la main. Y avait, pas très loin derrière, les deux familles qui suivaient en chuchotant, et qui faisaient semblant de rien. Ils devaient être quarante, sans exagérer. C'était comme un troupeau de chèvres derrière des chevriers, mais sans les cris et les coups de cornes.

Ma petite Zaéma, elle, écoutait gentiment le cousin qui lui racontait des conneries, parce que c'est sûr, ça pouvait pas être autre chose que des conneries ! Ça m'a déchiré le cœur de la voir avec lui. Ça m'a rendu fou de colère.

Je me disais qu'il pouvait pas s'approcher d'elle, le salaud, sans la salir. C'est pas juste une fille comme une autre, c'est Zaéma, nom de Dieu, c'est ma Zaéma ! Vous pensez que vous pouvez la présenter à n'importe quel cousin, comme ça, sans lui demander son avis, en disant : « C'est un bon garçon, quand même... » Non, c'est pas ça la vie, ça peut pas être ça, je refuse, c'est pas assez, pas pour une fille comme Zaéma ! Pas pour moi non plus. À Zaéma, il lui faut plus, il lui faut ce qu'y a de mieux, surtout il lui faut un mec qui la connaît bien et qui sait ce qu'elle aime et ce qu'elle aime pas, ce qui la fait rire et ce qui la fait pleurer. Ça lui prend un mec qui la veut vraiment, quoi, et qui est prêt à tout pour elle.

Alors vendre Zaéma à ce con de cousin qu'on connaît pas, juste parce que son père est riche… Lui, qu'est-ce qu'il a fait, hein, pour prouver sa valeur ? Vendre Zaéma à un pareil imbécile, c'est comme… échanger sa plus belle chèvre contre une poignée de cailloux. C'est une folie. C'est un crime.

En tout cas, tout le monde m'attendait dans le salon pour le repas du matin, et moi je restais dans ma chambre, comme un sauvage. Les larmes coulaient, je pouvais pas les empêcher. Et j'avais honte.

C'est à ce moment-là qu'on a frappé à ma porte, trois petits coups, et elle s'est ouverte doucement. C'était oncle Moussa. Il a jeté un œil, il a noté que je dormais pas. Il est entré. Moi j'ai pris mon cahier de devoirs, je me suis tourné face contre le mur et j'ai fait semblant de relire un truc.

« Abram, qu'il m'a demandé, pourquoi ne viens-tu pas manger avec nous ? Les femmes ont préparé des plats magnifiques. Il ne manque que toi.

— J'ai pas faim. Merci. Commencez sans moi, s'il vous plaît. »

Il est resté là, dans le cadre de la porte, immobile. Il attendait sûrement que je le regarde. C'était embarrassant. Après une minute, j'ai pensé que peut-être il était parti, alors je me suis retourné pour voir… Mais il était encore là, il avait pas bougé d'un poil. Il a tout de suite vu que j'avais pleuré, que j'avais le cafard, que j'étais l'ombre de moi-même. Mais il est resté muet. Il a soupiré, comme s'il avait pitié de moi. Ça voulait tout dire.

Dans la lumière du jour, j'ai remarqué quelque chose de différent dans son visage, un changement qui m'avait échappé la veille. On aurait dit que ses traits s'étaient figés, que sa mâchoire, ses joues, son front s'étaient raidis, comme s'il avait porté un masque de cire. Ça m'a tout de suite fait penser aux personnages dessinés dans le recueil de contes du professeur. Ils ont l'air d'exister dans un monde à part, un monde totalement détaché de la réalité des gens normaux. Tellement qu'ils ressemblent plus à des fantômes qu'à des êtres vivants.

Oncle Moussa a essayé de sourire, mais il a pas vraiment réussi. Je doute qu'il en soit encore capable. Il s'est avancé jusqu'à la fenêtre, il a regardé en bas dans la rue. Il a encore soupiré. Je me suis assis sur mon lit. Je supportais plus le malaise et j'allais lui demander gentiment de sortir, mais il s'est retourné, il a mis une main sur mon épaule et m'a fixé droit dans les yeux. Ils devaient être rougis par les larmes. C'était humiliant. Son regard à lui était plein de sympathie, même si le reste de son visage exprimait une sévérité et une froideur qui forçaient à baisser la tête.

Alors il a dit : « Viens, suis-moi. Allons faire un tour dehors. Ça te fera du bien. » Sans réfléchir, je me suis levé et je l'ai suivi.

Quand on est passés devant maman et papa, ils ont eu l'air surpris, et même un peu inquiets. Ils se demandaient où on pouvait bien aller. Ils ont peur qu'oncle Moussa cherche à me convaincre d'aller me battre dans la Montagne, je le sais, ils en parlent souvent quand ils croient que tout le monde dort. Mais oncle Moussa a compris tout ça immédiatement et, avant qu'ils aient eu le temps de parler, il les a rassurés : « On ne va pas loin, ne vous en faites pas. On revient tout de suite. »

Dans la rue, il m'a poussé doucement devant lui.

« Je te suis.

— Mais où on va ?

— Tout droit, par là.

— Où ça ?

— Au vieux cimetière. »

Le vieux cimetière se trouve sur le sommet d'une butte pas très loin du village, de l'autre côté du ruisseau, à trente minutes de marche. Le sentier de pierre et de sable monte en zigzaguant entre les arbustes d'épines et les touffes d'herbes. Là-bas, y a de grands arbres qui poussent dans les allées et qui font des flaques d'ombre. Les jours où le soleil tape et où il fait trop chaud pour jouer au foot, c'est toujours là qu'on se retrouve entre copains. De là-haut, on peut voir le toit des maisons, et les rues, et les gens qui marchent ou qui travaillent dans la cour des ateliers, et aussi des gamins qui jouent aux billes sur la place, et des petites filles qui se promènent sous les arbres, près de la fontaine, avec leurs grands-mères. Et si on se retourne, on peut voir, bien au-delà des collines, au bout de l'horizon, la Montagne.

Pendant des siècles, les anciens habitants du Désert sont venus ici, loin de chez eux, enterrer leurs héros de guerre. Mais l'endroit est abandonné depuis longtemps, depuis bien avant que les villages des collines soient déplacés dans la vallée, et que les chevriers le redécouvrent.

Notre cimetière à nous, il est plus bas, le long du ruisseau, du côté des champs. C'est le cimetière de tout le monde. Je veux dire, on fait pas la différence entre les héros, si y en a déjà eu ici, et les autres. J'ai déjà remarqué qu'on peut compter plus de tombes dans les deux cimetières réunis que de personnes dans le village. C'est drôle, quand même, que chez nous y ait plus de morts que de vivants.

Ça me rappelle ce que racontait Yaassir, l'autre jour, à propos du jardin d'Éden. Il se questionnait : « Si on calcule qu'y a des centaines, peut-être même des milliers de villages comme le nôtre dans le pays, et si, depuis la nuit des temps, tous ceux qui l'ont mérité s'en vont là-bas quand ils meurent... Et ça, c'est sans parler des autres pays, parce qu'ils ont peut-être le droit d'y aller, eux aussi, on sait pas... Alors est-ce qu'y a encore de la place ? Ça serait dommage, quand même, que l'éternité, on la vive entassés comme des grains de sable dans le Désert ! »

Les mecs et moi, on voyait que ça le préoccupait. Alors pour le rassurer, on lui a répondu que ça doit être prévu, qu'il faut bien qu'y ait de la place pour tout le monde, que ça se saurait si c'était complet, sinon on pourrait plus appeler ça le Paradis. Il a eu l'air d'aimer notre réponse. En tout cas, il en a plus reparlé.

Moi je me dis qu'on est mieux de pas trop s'occuper de ces choses-là, que ça peut juste nous rendre encore plus tristes et désespérés. Après tout, c'est l'affaire du Seigneur, son business à Lui, quoi. On doit Lui faire confiance. Y a pas d'autre option. Et puis on verra bien, de l'autre côté, à quoi ça ressemble. En attendant, faut surtout essayer de vivre.

∾

Donc on a marché, oncle Moussa et moi, jusqu'au vieux cimetière, lui derrière moi, parce qu'il voulait que j'arrive le premier. On a cheminé entre les tombes jusqu'à un vieux pin qui pousse près de la grande pierre que tout le monde appelle la « roche au Héros ». Elle a été placée là y a très longtemps par nos ancêtres, quand le Désert abritait encore des tas de grandes oasis. C'est ce que nous a raconté le professeur, un jour qu'on y est tous allés en excursion. Il a expliqué que ça fait au moins mille ans qu'elle est là, mais qu'on en sait pas plus, que l'histoire de la région est très mal connue et qu'on peut juste formuler des hypothèses.

Cette pierre-là, elle est censée couvrir la tombe d'un grand guerrier dont personne aujourd'hui connaît le nom, mais qui serait mort en héros dans une bataille importante, qu'on a aussi oubliée, faut dire. Et tant qu'elle sera là, immense et solennelle, on se souviendra qu'y a plus de mille ans que les hommes du pays et leurs fils se sacrifient en faisant la guerre à nos Ennemis, pour la plus grande gloire de Dieu et le salut de son peuple. Ça, a insisté le professeur, ça doit nous rendre tous très fiers et très reconnaissants.

Tout ça pour dire qu'on s'est assis, oncle Moussa et moi, sur la roche au Héros. J'avais plus envie de pleurer, mais je restais songeur et je regardais en silence les pierres éparpillées autour de nous. Certaines sont encore debout, la plupart sont couchées. Apparemment, y en a plein d'autres qu'on voit pas, parce que le sable, les cailloux et les buissons les ont recouvertes. Lui, c'est comme s'il avait deviné mes pensées : « De nombreux guerriers sont enterrés ici, qu'il a commencé. Des héros. Des martyrs. Et moi aussi, si Dieu le veut, j'aurai l'honneur d'être enterré ici, dans ce cimetière. Et toi aussi, Abram. »

Moi aussi… ? Vraiment ? Je sais qu'oncle Moussa espère de tout cœur que, comme lui, je me joindrai un jour à l'Armée de Dieu. Y a deux ans, juste avant son départ, il m'a affirmé : « Quand tu seras prêt, je viendrai te chercher. » Je devine que, pour lui, ça signifiait : *Quand tu seras prêt à mourir...*

Il croit que je le suivrai, que je me battrai dans la Montagne, à ses côtés. Il prévoit que je serai aussi convaincu que lui, aussi prêt à tout sacrifier pour défendre le pays, la Religion, et tout le reste. C'est l'avenir qu'il me souhaite. Et quand il en parle, ça semble tellement simple, tellement beau, tellement facile. Y a qu'à mourir ! C'est noble, comme il dit. Mais quand il me parle de ma mort, en disant : « Toi, Abram, tu seras enterré là, si Dieu le veut, sous le grand pin au bout de l'allée… » et même s'il le dit en pensant me faire plaisir, y a quelque chose en moi qui refuse d'écouter.

Protéger nos familles, défendre notre territoire, nos croyances, nos coutumes, lutter pour sauver notre honneur et notre dignité, c'est très important, c'est clair, je comprends. Je suis pas insensible à tout ça, loin de là. Mais je peux pas m'empêcher de trouver que c'est dommage, quand même, d'avoir à mourir, même pour ça. Est-ce que c'est pas dommage d'avoir à mourir tout court, pour ça ou pour autre chose ?

Au lieu de lui répondre, je me suis mis à imaginer à quoi pourrait ressembler ma tombe. Je voyais des enfants tourner autour en riant et y grimper pour s'asseoir comme sur un banc et la frapper en chœur avec leurs talons, sans comprendre à quoi elle servait, cette grande pierre couchée sur la terre, sinon à jouer dessus.

Ce destin-là, ce tombeau-là, au sommet de la colline, dans le vieux cimetière, je sais au fond de mon cœur que c'est pas le mien. C'est peut-être celui d'oncle Moussa, mais pas le mien.

Mais comme je voulais pas le décevoir, j'ai rien dit. La vérité c'est que, depuis qu'il est parti, son combat, comme il l'appelle, c'est plus du tout un truc qui me fait rêver. Évidemment, quand on pense aux hommes qui ont de grandes pierres sur leur tombe, on se dit que la plus belle des morts, c'est peut-être celle du héros à la guerre. Ça donne envie de mourir pour quelque chose de grand, de noble, de beau. Mais idéalement, on voudrait mourir le plus tard possible, non ? Parce que héros ou pas, quand on se fait tuer, c'est la fin.

En tout cas, c'est la fin de tous les rêves et de tous les espoirs qu'on avait quand on était vivant. Et ça, moi, c'est un sacrifice que je peux pas faire, pas maintenant en tout cas. Pas avant longtemps non plus.

Je sais qu'y en a plusieurs qui diraient que c'est égoïste de penser comme ça, qu'avec ces idées-là je trahis les miens, et même que je trahis le Seigneur. Mais je le jure, je suis pas plus égoïste et pas plus traître qu'un autre. Sauf que ça me révolte d'imaginer qu'on puisse mourir avant d'avoir eu la chance d'essayer, même juste une fois, d'être heureux. Juste essayer. Une fois au moins.

Alors même si on me promet qu'on mettra une belle grande pierre sur ma tombe et qu'on viendra encore la visiter dans mille ans, ça me donne pas plus envie de me faire descendre par l'Ennemi à la Frontière. Non. En tout cas, pas avant d'avoir tenté de réussir autrement ma vie.

C'est à cause de ces idées-là qui tourbillonnaient dans ma tête, comme des mouches autour d'un chien mort, que je répondais rien à oncle Moussa. Je contemplais les tombes. On aurait dit qu'une partie de moi espérait qu'à force de les regarder j'arriverais à connaître mon avenir.

Y a des pierres, les moins protégées contre le vent du Désert, qui sont tellement lisses et brillantes qu'elles renvoient la lumière du soleil comme des miroirs, et ça oblige à plisser les yeux. Tout à coup, juste comme je mettais la main en visière pour mieux voir, y a une voix qui s'est mise à parler dans ma tête. C'était un drôle de mélange entre les voix d'oncle Moussa, du prêtre, du professeur, et la mienne aussi. Elle avait un ton grave et accusateur : *Et si c'était vrai, Abram ? Si c'était la volonté de Dieu que tu sois un jour enterré là, dans le vieux cimetière au-dessus de ton village, à l'ombre des grands pins, à côté de ton oncle Moussa ? Si c'était réellement le destin qu'Il a choisi pour toi ?*

J'ai pas pu m'empêcher de frissonner, comme quand on entend un truc qui fait peur. Et je me suis demandé si c'était pas ça, le fameux signe envoyé par Dieu dont parlait oncle Moussa. Pendant quelques secondes, j'ai vu devant moi des dunes immenses, tellement rongées par la tempête qu'elles s'écroulaient, et j'ai cru que tous mes rêves d'amour et de géographie s'effondraient avec elles.

Mais je me suis remis très vite. Fallait surtout pas paniquer. Non mais, j'allais pas commencer à croire aux voix qu'on entend dans sa tête ! C'était que ma conscience, quoi. Elle me jouait des tours. Faut dire que j'étais pas dans une forme terrible, j'étais vulnérable...

C'est normal aussi de douter, en tout cas d'être prudent, quand on se prépare à faire quelque chose de grand et d'important, et de vachement risqué. Mais je suis bien décidé à résister jusqu'au bout à ceux qui voudront me convaincre d'abandonner mes plans d'avenir. Moi aussi j'ai des arguments.

Le soleil montait toujours plus haut dans le ciel, au-dessus des maisons, au-dessus de la vallée, et on sentait qu'il allait faire plus chaud que d'habitude. Y avait des fermiers sur la route qui s'en allaient travailler dans les champs. On les voyait marcher tranquillement en bavardant, avec leurs outils sur les épaules. Ils avançaient dans la poussière qu'ils faisaient monter avec leurs sandales, et ça brillait autour d'eux comme un nuage d'or.

Oncle Moussa a continué : « Tous les hommes meurent un jour. Riches ou pauvres, heureux ou malheureux, jeunes ou vieux... Quand notre heure est venue, il n'y a qu'une chose à faire, c'est de mourir dans l'honneur et la dignité. Il faut se résigner. La peur de mourir, c'est d'abord la peur de vivre. »

Des phrases, des phrases...

Quand j'étais plus jeune, disons y a trois ans de ça, un peu avant qu'il parte de la maison, je m'assoyais souvent dans le salon près de lui et on restait de longues heures ensemble à parler, ou plutôt je l'écoutais, et ça m'impressionnait terriblement quand des phrases comme celles-là sortaient de sa bouche. Quand il expliquait ce qu'il fallait faire pour que notre pays sorte de la misère, quand il présentait ses idées ou son combat, comme il disait, alors je le jure, c'était comme quand on allume une lampe dans le noir : il rayonnait. C'est dans ces moments-là qu'il sortait ses belles phrases qui m'entraient dans la tête encore mieux que les versets du Livre. Je pigeais pas tout, c'est clair, mais j'avais pas besoin de tout comprendre, j'étais déjà convaincu. Parce qu'oncle Moussa était un homme extraordinaire qui avait voyagé, et qui avait étudié, et qui connaissait le Monde, je croyais qu'il pouvait pas se tromper, qu'il pouvait pas dire autre chose que la vérité. Et j'étais pas le seul à l'admirer.

Le soir, après le repas, le salon était plein de gens venus pour l'écouter. Dans ces moments-là, ma mère l'aurait pas avoué devant lui, mais elle était fière d'avoir un frère aussi instruit, aussi savant, aussi déterminé, et elle servait du café et des biscuits à tout ce monde-là en souriant et en répétant : « Soyez les bienvenus ! C'est une bénédiction d'avoir autant de visiteurs dans sa maison. »

C'était surtout des hommes de l'âge d'oncle Moussa, mais aussi des plus jeunes et des plus vieux, et même parfois y avait des femmes qui accompagnaient leur mari ou leurs fils. Ils venaient chez nous pour l'entendre raconter ses voyages, lire des bouts du Livre, et surtout prononcer ses belles grandes phrases qui sonnaient comme les paroles de Dieu Lui-Même. Et quand il décrivait le monde parfait qu'il voyait dans sa tête et qu'il désirait de tout son cœur, on pouvait pas s'empêcher d'espérer avec lui, et ça nous faisait un bien fou. Ça rend la vie tellement plus légère et facile de savoir que l'avenir sera merveilleux.

Moi, j'étais qu'un enfant qui gobe tout ce qu'on lui raconte. Et c'est comme si mes yeux s'étaient habitués à voir le monde avec ses yeux à lui.

Son rêve, c'était pas quelque chose de très clair et de très précis ; en tout cas, pas pour moi. C'était comme des graines qui germaient lentement dans ma tête et qui poussaient leurs épis dans tous les coins de mon imagination. Ça parlait de victoire et d'honneur et de gloire et de dignité, et d'un tas d'autres trucs de ce genre-là que je pigeais qu'à moitié. Mais il nous promettait le bonheur, et ça, je le comprenais.

On se souvenait tous parfaitement de l'attaque du village par l'Ennemi. On pensait à ceux qui étaient morts en cherchant à nous défendre. Et on se disait, en écoutant oncle Moussa, que le moment de la vengeance était peut-être venu. Je comprenais pas clairement ce que c'est, la guerre, je voyais pas la haine et la douleur. Je pensais, comme les autres : *C'est sûr, la dignité, la gloire, la victoire, c'est beau et c'est bien, et en plus ça doit rendre riche !*

Et même si personne l'a jamais dit chez nous à la maison, je suis sûr qu'on s'est tous imaginés naïvement qu'un jour, oncle Moussa ferait partie des hommes les plus importants du village, qu'il serait peut-être même un des chefs de la province, et pourquoi pas, si Dieu le voulait, un des chefs du pays ! On a fini par croire qu'on vivrait plus dans la misère, qu'on aurait plus à gaspiller nos vies à travailler pour des salaires de crève-faim, qu'on aurait une plus grande maison, peut-être même une voiture, une belle voiture toute neuve et toute propre. Et même on a espéré qu'on pourrait prendre des vacances au bord de la Mer.

Je suis pas beaucoup plus vieux aujourd'hui, c'est vrai, mais j'ai beaucoup vieilli. À cette époque-là, je savais pas, je pouvais pas savoir, que des rêves, y en a des tas de possibles, et que j'ai pas à emprunter celui d'un autre, même si cet autre-là est un homme extraordinaire que j'admire et qui m'a appris à peu près tout ce que je sais. Maintenant je vois bien que chaque homme doit se trouver un rêve à lui.

Chez nous, en tout cas, on se fait plus d'illusions. Oncle Moussa nous a expliqué clairement, avant de partir, que ça l'intéressait pas d'être un chef, sauf un chef de guerre. Il nous a dit et redit : « Je me battrai pour Dieu, sans rien demander d'autre qu'une place au Paradis. »

Tout ça pour dire que, depuis qu'il se bat dans l'Armée de Dieu, je le reconnais plus. À chaque fois que je le revois, ça me frappe à quel point il s'est transformé. C'est pas seulement son corps, son visage, ses yeux qui ont changé, c'est aussi la manière qu'il a de se tenir, de s'asseoir, de parler et d'écouter, et même de serrer la main.

La dernière année qu'il a passée avec nous, à la maison, il était tellement optimiste, tellement enthousiaste, tellement convaincu… On l'aurait pris pour le poète du Désert, dans le conte que tout le monde connaît, qui se balade d'un village à l'autre pour raconter des histoires bizarres qui cachent toujours une petite leçon de sagesse. Y a dans sa voix quelque chose de magique et de mystérieux qui touche les gens et qui les attire vers lui. Alors on s'entasse sur la place pour l'écouter, la bouche un peu ouverte et les yeux ronds, comme des gamins devant un tour de magie. Il arrive à faire oublier toute la tristesse, toute la dureté de la vie. Il demande pas d'argent, il demande rien, on lui donne à manger, on le laisse dormir dans un coin. Quand il repart, on le bénit mille fois, et ça lui suffit.

Les derniers mois surtout, oncle Moussa était toujours de bonne humeur, il souriait, il plaisantait, il sifflait des ritournelles.

Le soir, c'est vrai, dans notre salon, quand il parlait devant ceux qui venaient pour l'entendre, c'était un homme intense et imposant que personne osait interrompre ou contredire. Mais le jour, il redevenait l'homme doux et gentil que tout le monde appréciait. Il passait de plus en plus de temps avec nous, il aidait à nettoyer la maison, et même il avait commencé à cuisiner, il inventait des recettes, et ça l'amusait.

Ma mère, en voyant qu'il avait retrouvé le goût de vivre, de travailler, de faire comme tout le monde, disait qu'il était enfin guéri, et ça la mettait de bonne humeur. Qui aurait pu deviner que, tout ce temps-là, il avait déjà renoncé à la vie du village, qu'il avait déjà choisi le feu et le sang et qu'il se préparait à rejoindre l'Armée de Dieu dans la Montagne ?

Aujourd'hui, c'est comme s'il arrivait plus à discuter sans faire des phrases. Le Seigneur l'a appelé, qu'il prétend. Il est en mission... Sa vie lui appartient plus... Il a accepté de vivre en héros... En tout cas, il sait plus se contenter d'être là, comme quand on discute simplement entre potes. Il se sent à chaque fois obligé de dire quelque chose de grave et d'important. Il veut convaincre les autres qu'il a raison, qu'il peut pas se tromper, et qu'y a que les débiles et les mécréants pour pas penser comme lui. Il a le ton grave de celui qui fait la leçon, c'est lui qui cause et les autres qui écoutent.

Je crois qu'il est encore convaincu que moi, Abram, j'approuve tout ce qu'il raconte sans rien remettre en question, sans rien critiquer, et que je serai toujours d'accord avec ses idées. Il ignore que les choses ont changé. Je veux dire, je l'admire et je l'aime, c'est l'homme le plus brillant, le plus courageux, le plus noble que je connaisse, et je suis très fier d'être son neveu. Mais l'oncle Moussa que j'ai connu existe plus. Il est mort.

Pour commencer, il a perdu son grand sourire de la photo, qui lui gonflait les pommettes et qu'il avait retrouvé juste avant de partir. Maintenant, il sourit plus jamais. C'est comme si son visage était plus capable d'exprimer la joie, le plaisir, la tristesse, et même la douleur, tellement il est tendu, tellement il est dur et sec.

Il a les yeux renfoncés et entourés de noir. On dirait deux trous de balle. Il est tout maigre, cuit par le soleil, usé par le vent. Il lui manque presque toutes ses dents, celles qui lui restent sont pas jolies et en plus elles lui font mal. À la maison, j'ai entendu ma mère s'inquiéter de le voir aussi diminué. Il a répondu : « C'est normal, Mariam. Sache-le, la vie là-bas, dans la Montagne, ce n'est pas une vie de pacha, c'est une vie de martyr. »

Je repensais à tout ça, assis près d'oncle Moussa sur la roche au Héros, sous les grands arbres du vieux cimetière.

C'est à ce moment-là qu'il a commencé à parler de Zaéma : « La dernière fois que j'ai vu un homme aussi triste, aussi désespéré, il venait d'apprendre que la fille qu'il aimait allait se marier avec un autre homme. » Ça m'a pris par surprise. J'ai tourné la tête vers lui, il me regardait droit dans les yeux. Il a continué : « Tout ça, c'est à cause d'une fille, non ? » Lui, en voyant que je rougissais, il a fait : « Hum ! » comme pour se moquer, puis il a plus rien dit.

Je voulais pas répondre à cette question-là. Surtout, j'étais déçu que mes parents lui aient raconté l'histoire du cousin, et ça m'humiliait qu'il m'en parle juste comme ça, sans savoir si j'en avais envie, comme si mes secrets lui appartenaient à moitié.

Je sais pas combien de temps on a gardé le silence. Assez longtemps, en tout cas, pour que je me perde encore dans mes pensées et que j'oublie presque qu'il était là. J'essayais d'imaginer la Mer. C'est quand même ironique qu'y en ait tellement qui rêvent d'aller là-bas un jour en vacances, pendant qu'y en a un tas d'autres qui sont prêts à mourir pour se rendre de l'autre côté... et qui pensent même pas à s'arrêter pique-niquer sur la plage.

Tout à coup, un oiseau a crié dans l'arbre juste derrière mon épaule. J'ai relevé la tête. Oncle Moussa me regardait toujours : « Méfie-toi des filles, Abram. Elles nous font oublier qui nous sommes. »

J'ai compris qu'il allait se lancer dans un discours, qu'il se préparait à me faire sérieusement la morale. Je me suis dit que je pourrais pas le supporter, que c'était éprouvant déjà d'être triste, que j'avais pas besoin qu'en plus on essaie de me convaincre que j'avais tort de souffrir.

Mais c'est pas exactement de ça qu'il m'a parlé. Il m'a plutôt confié des trucs qu'il avait partagés jusque-là avec personne. Il m'a révélé une partie cachée de son passé, et ça reste aussi clair et net dans ma tête que si c'était lui qui le répétait.

« Il y a plusieurs années de cela, qu'il a commencé, avant ta naissance, je suis parti étudier dans une université, en France. Ta mère t'a sûrement déjà raconté.

— Un peu, oui.

— Je voulais devenir médecin, ou plutôt mes parents avaient décidé que je serais un grand et riche docteur. Ils espéraient que je reviendrais ensuite les sauver de leur misère. J'ai fait d'énormes efforts pour me rendre jusque-là, j'ai passé des tas de nuits blanches à préparer les examens d'entrée, que je ne pouvais absolument pas rater, et toute la famille s'est sacrifiée pour me donner la chance de réussir. Organiser mon voyage a demandé plusieurs années de travail : il fallait les papiers, les diplômes, les lettres de recommandation, l'argent... Puis un jour, je suis parti avec ma petite valise, mon manteau et mon chapeau, j'ai traversé le Désert, j'ai traversé la Frontière, puis j'ai marché pendant des jours et des jours en direction de la Mer. Là-bas, j'ai rencontré un passeur qui m'a vendu une place sur un bateau. Grâce à Dieu, j'ai réussi à traverser sans trop de problèmes, même si on a failli chavirer au moins cent fois tellement on était nombreux. Mais tous ceux qui voulaient passer n'ont pas eu la même chance. J'ai vu un des bateaux qui formaient le convoi couler à quelques mètres de moi. J'ai vu des gens qui s'affolaient et qui se piétinaient pour ne pas être emportés par les vagues, des gens qui s'accrochaient à ceux qui savaient un peu nager et qui les emmenaient avec eux au fond de l'eau, d'autres qui frappaient de toutes leurs forces, avec leurs mains, avec leurs pieds, ceux qui s'agrippaient à eux… Et nous, on a regardé ça sans chercher à les aider, on a continué sans s'arrêter, on ne pouvait rien faire pour eux, on s'est éloignés en silence, on les a perdus de vue, puis on n'a plus entendu les cris. Je n'oublierai jamais les cris terribles de ces gens-là qui luttaient comme des enragés pour que leur vie ne se termine pas au milieu de la Mer, à mi-chemin de leur rêve. »

Ça a pris du temps avant qu'il reprenne son histoire. Il a dû voir que je pensais à tout ça et il a voulu me laisser le temps d'absorber, comme on dit. C'était son but, évidemment, de me faire réfléchir. Et c'est vrai, c'était pas des images faciles à avaler. Ça m'a fait froid dans le dos, quoi. J'avais toujours imaginé que c'était simple et facile de traverser de l'autre côté. Je me disais qu'y avait qu'à prendre un bateau… Je savais pas que c'était encore plus risqué que de se rendre d'ici à la Mer.

Puis il a continué :

« On est arrivés au bout de dix jours et demi, brûlés par le soleil, malades, confus. Les trois derniers jours, on n'avait plus rien à boire ni à manger. Quand j'ai eu les deux pieds sur le rivage, je suis tombé à genoux et j'ai embrassé le sol en remerciant le Seigneur. À ce moment-là, j'ai juré que rien n'allait m'empêcher de réussir ma vie. Rien. Et pendant la première année, j'ai travaillé comme un forcené. J'allais à l'école le jour, j'étudiais la nuit, et en plus de tout ça j'acceptais de petits emplois mal payés, juste pour envoyer un peu d'argent au village, pour leur montrer que je faisais des efforts et que je pensais toujours à eux. J'ai vécu six mois sous un pont, je dormais sur des cartons… Puis j'ai réussi à me payer une chambre minuscule, que je partageais avec deux autres étudiants étrangers. C'était très dur. En fait, ce n'était presque pas vivable. Mais, chaque jour, je me rappelais que j'étais chanceux d'être là, qu'il ne fallait pas oublier ceux qui étaient morts au milieu de la Mer, et surtout ceux qui m'attendaient au village et qui misaient tout sur moi. Avec l'aide de Dieu, j'ai réussi tous mes cours. J'ai même reçu un prix, celui du meilleur étudiant étranger. Je suis passé en deuxième année, puis en troisième, et je sentais que les choses allaient de mieux en mieux. Je me rapprochais rapidement de mon but, et j'en ressentais une immense fierté. J'avais les yeux fixés sur un point de l'horizon, et rien, mais absolument rien, n'allait me faire dévier de ma route.

« Puis un jour, par hasard, j'ai remarqué une fille assise près de moi dans la classe. Elle était Française. Elle avait les cheveux blonds comme le sable du Désert et les yeux bleus comme un reflet de ciel. Elle s'est retournée, et elle m'a souri. Je n'avais jamais vu de fille aussi jolie. Je ne pouvais pas m'arrêter de la regarder. J'étais complètement ensorcelé par sa beauté, par sa lumière. Tu comprends ce mot-là, Abram, *ensorcelé* ? La nuit, je ne dormais presque plus. Je voyais tout le temps son visage, elle me regardait avec ses grands yeux remplis de soleils et son sourire de fée. J'imaginais que je lui parlais et qu'elle m'écoutait, qu'elle me répondait gentiment, qu'elle m'admirait, que je lui prenais doucement la main, qu'on se promettait des choses… »

En entendant ça, j'ai tout de suite pensé : *Mais c'est comme moi avec Zaéma !* Peut-être même que je l'ai dit, sans le vouloir, je sais plus. J'ai tourné la tête vers lui. Il avait pas l'air d'avoir entendu. Il fixait le paysage du côté de la Montagne.

« Abram, aujourd'hui je vais te parler d'homme à homme. Il est temps que tu saches certaines choses. »

Il s'est tourné du côté du village et m'a montré les maisons alignées le long de la grande rue.

« Les gens du village ont appris à survivre sans poser de questions. Ils endurent la misère en serrant les dents, comme si elle était naturelle. Comme s'ils la méritaient. Ils sont croyants, bien sûr, ils respectent Dieu, les lois et les coutumes. Certains peuvent même réciter par cœur plusieurs passages du Livre. Mais pour eux, l'existence, ce n'est pas beaucoup plus qu'une série d'habitudes, de rituels, de gestes qu'on pose, jour après jour, sans jamais se demander pourquoi. Ce n'est pas un engagement. Ce n'est pas un combat. Crois-moi, ils ne seraient pas prêts à donner leur vie pour défendre le Saint Nom de Dieu. Ils ne voient pas que toute la dignité de l'homme se trouve là, et là seulement. »

Il s'est arrêté une minute. Ses lèvres remuaient sans qu'un son en sorte, comme s'il essayait de se rappeler des phrases presque oubliées. Il a tourné son visage vers moi pour me dire :

« Il y a des hommes à qui Dieu confie un rôle plus grand, plus noble, plus difficile aussi, celui de Le servir avec dévouement et passion. Tu comprends ? »

Comme je restais muet, il a voulu m'expliquer : « Servir Dieu avec passion, c'est s'en remettre totalement à son Jugement et à sa Volonté, c'est accepter ce qu'Il demande sans douter ni faiblir, jamais. C'est vivre et mourir pour Lui. »

À ça, sans y penser, comme si mon cœur parlait à ma place, j'ai répondu : « Moi, ma raison de vivre et de mourir, c'est Zaéma. »

Il m'a regardé comme s'il voulait enfoncer ses yeux dans les miens, comme si je venais de dire quelque chose de terrible, d'impossible, d'interdit. Y avait de l'impatience, même de la colère, dans sa voix :

« Abram, sache-le, les filles, elles sont dangereuses. J'aime bien la petite Zaéma, elle est gentille, elle est jolie, c'est vrai. Mais tu ne dois pas t'imaginer qu'à elle seule elle pourrait te rendre heureux. Crois-moi, tant que l'homme s'obstine à tout miser sur l'amour, son cœur n'est jamais en paix. Une fille, ça peut aimer un garçon un jour et l'oublier le lendemain. Ça veut avant tout une maison, de l'argent, des bijoux, une voiture, des vacances, et ça se donne à celui qui pourra lui offrir tout ça. Et si tu ne le peux pas, Abram, si c'est au-dessus de tes moyens, alors elle pourra peut-être te trouver bien gentil, et peut-être même qu'elle pourra t'aimer, mais crois-moi, cela ne l'empêchera pas d'épouser un garçon plus riche s'il y en a un qui se présente. Je te le dis, tu dois absolument construire ta vie sur quelque chose de plus solide que l'amour d'une fille. »

Aïe ! Ça m'a fait terriblement mal d'entendre ces mots-là. Il cherchait juste à m'aider, à me consoler, je sais bien. Quand même, ça m'a fait mal. C'était comme s'il me disait que Zaéma était pas différente des autres, que notre amour, c'était pas sérieux, que c'était qu'un mirage, quoi, et que je devais surtout pas compter là-dessus.

Moi je pensais : *Mais elle est ce que j'ai de plus précieux au monde ! Y a rien qui me donne autant d'espoir que notre amour ! Sans elle, je vois pas quel sens aurait ma vie !*

J'avais envie de lui crier que, malgré ce qu'il croyait, notre rêve, à Zaéma et moi, c'était pas une illusion. Mais je sentais que c'était inutile. Je peux pas argumenter avec oncle Moussa, il a toujours la réponse qu'il faut, et moi, j'aurai jamais que des sentiments à opposer à ses idées.

Alors je me suis mis à repenser à ce qu'il venait de me raconter. Quand il avait parlé de la fille, de la jolie Française qui l'avait ensorcelé, comme il disait, sa voix était devenue moins sèche, plus douce, presque émue. Ça m'avait étonné. On aurait pu croire que ça lui faisait plaisir, quand même, de la retrouver dans ses souvenirs, comme si sa beauté le touchait encore. Je le regardais, assis près de moi, le visage maigre et ridé, les yeux cernés, les lèvres gercées par le soleil. En même temps, je me rappelais son air de gars heureux sur la photo. Et je comprenais pas ce qui avait pu se passer.

Parce qu'y a quelque chose qui cloche dans son histoire, à oncle Moussa. Je veux dire, qu'est-ce qui lui est arrivé, là-bas, qui l'a tellement bouleversé, tellement ébranlé, quand tout semblait aller pour le mieux ? Pourquoi il est revenu tout à coup au village, malade et paumé, et il est resté des mois sans dire un seul mot, comme un fantôme au milieu des vivants ? Qu'est-ce qui a pu le changer au point où tout ce qu'il a trouvé, pour donner un nouveau sens à sa vie, c'est de sacrifier son corps et son âme dans une Guerre sainte, une guerre de vengeance ?

J'ai relevé la tête pour regarder les tombes. Le soleil était maintenant si intense, si brûlant, qu'elles semblaient flotter au-dessus du sol, comme si la chaleur avaient transformé la terre en eau. Mon cerveau roulait à cent à l'heure. Le sourire d'oncle Moussa sur la photo... L'espoir de la famille... La promesse... Le courage... La Mer... L'université... La jolie Française... La médecine... L'échec et la honte... La Guerre sainte... Je sentais que je tenais quelque chose, et je voulais pas lâcher le morceau.

Un cône est tombé du haut du grand pin en frappant les branches, et on l'a entendu s'enfoncer derrière nous dans le sable. Et tout d'un coup ça m'a frappé, comme une poignée de sable que le vent nous jette à la figure. Tout m'apparaissait tellement clair, tellement évident. Sans qu'il me l'ait dit, je devinais ce qui lui était arrivé en France.

La fille, il l'avait aimée comme un dingue et elle lui avait brisé le cœur. C'était ça son secret, ça expliquait tout. Mais tant qu'il l'avouait pas lui-même, je pouvais pas jurer que j'avais raison. Alors je lui ai posé directement la question, pour savoir :

« Dis-moi, oncle Moussa, cette fille, là-bas, en France, elle t'a rendu malheureux, c'est ça ? Elle a pas voulu de ton amour, elle t'a rejeté ? Elle s'est donnée à un autre, à un garçon plus riche, un Français peut-être ? Alors tu t'imagines que ça sera pareil avec Zaéma, qu'elle me trahira, qu'elle m'abandonnera un jour ou l'autre comme on jette à la poubelle un truc sans valeur, que toutes les filles sont nécessairement pareilles, c'est ça ? »

Pendant que je parlais, j'ai vu qu'il reculait le torse, comme si je le poussais un peu plus à chaque mot. Il me regardait avec des yeux tout ronds. J'y suis allé un peu brusquement, c'est vrai, mais j'étais en colère contre lui à cause de ce qu'il pensait de notre avenir, à Zaéma et moi.

Il s'est pas fâché, même s'il a eu l'air vachement troublé par ma franchise. C'est sûr, il s'attendait pas à toutes ces questions-là. Je voulais pas le provoquer, je voulais juste qu'il me dise la vérité. Oui quoi, tout ça, son combat, sa mission divine, est-ce qu'au fond c'est pas juste une façon de se venger du destin ? Est-ce qu'il fait pas tout ça parce qu'il a tout risqué et qu'il a tout perdu ? Parce qu'il a été passionnément amoureux d'une fille qui lui a fait oublier qui il était, pourquoi il était là, et tout ce qu'il avait souffert pour s'y rendre ?

Est-ce qu'il est pas simplement malheureux et désespéré ? Quand on pense qu'on a raté sa vie, et qu'en plus on a cessé de croire à l'amour, il reste qu'à se trouver une bonne raison de mourir, non ?

Finalement, il a pas voulu répondre à mes questions, et elles se sont évaporées dans l'air brûlant. Mais c'est assez pour me convaincre que j'ai vu juste.

Donc on est restés là, sur la roche au Héros, moi qui regardais vers le village, lui qui regardait vers la Montagne. Des grillons sautaient entre les brins d'herbe sèche et jouaient tranquillement leur petite musique d'insectes. Et je me sentais terriblement seul.

Puis oncle Moussa s'est levé en soupirant et il s'est placé en face de moi. Je voyais dans son visage, dans ses yeux noirs comme des puits sans fond, qu'il était décidé à aller jusqu'au bout de son sermon :

« Abram, écoute-moi, écoute bien. Si tu veux consacrer ta vie à une cause juste, à une cause qui en vaut vraiment la peine, alors viens avec moi dans la Montagne, viens lutter là-bas contre l'Ennemi. Et surtout, oublie le reste. On a besoin de toi, il nous faut des combattants. Je te le redis : ce qu'il y a de plus important dans la vie d'un homme, ce ne sont pas les voitures, ce ne sont pas les filles, ce ne sont pas les vacances. Non. C'est d'aller jusqu'au bout du destin que Dieu nous donne. C'est tout faire pour mériter notre place au Paradis. Autrement, on ne se réconcilie jamais avec l'existence. »

En entendant ça, j'ai plus voulu, je pouvais plus l'écouter. Des phrases, des phrases, encore des phrases… C'est fou comme j'en ai marre ! Ça m'assomme, ça m'étourdit.

J'ai plus besoin qu'oncle Moussa m'explique ce que je dois faire pour plaire à Dieu. Je veux plus qu'il me donne des raisons de mourir. Ni qu'il me pousse à renoncer à ce que j'ai de plus cher, parce que supposément la vraie vie est ailleurs.

Et puis quelle vie ? Est-ce qu'on peut être sûr de ce qu'y a de l'autre côté, au Paradis ? Non, je veux plus entendre parler de sacrifice. Qu'est-ce que j'ai à sacrifier, moi ? Qu'est-ce que j'ai reçu qui fait que j'ai tellement à donner ? L'amour de Zaéma ? Mais on veut déjà me le prendre !

Moi, je veux juste qu'on me donne des raisons d'espérer, des raisons de croire qu'on peut vivre heureux, sans penser à tuer ni à mourir.

« Tu dois comprendre, Abram… »

Lui, il voulait plus s'arrêter :

« … en se joignant à notre Armée, nos combattants prouvent à tout le monde qu'il ne sont pas tombés dans le piège de l'argent, du pouvoir et de l'amour, ce piège que Dieu tend aux hommes pour savoir lesquels sont dignes ou non de sa miséricorde. Ils ne se sont pas laissé tromper par les mirages qui perdent les âmes médiocres, les envieux, les lâches, les égoïstes. En faisant don de leur vie, ils montrent qu'il est toujours possible, malgré la peur, malgré la tristesse, la fatigue et surtout les tentations, de rester sur le chemin difficile de l'honneur et de la vertu, le seul qui mène directement au Paradis. »

Un instant, j'ai eu envie de bâiller, mais je me suis retenu. C'était des trucs déjà entendus, cent fois au moins. Je regardais les gens passer sur la grande rue, juste au bas de la colline, de l'autre côté du ruisseau. Ils marchaient sans trop se presser. Y avait aussi des enfants qui couraient derrière un mec qui roulait sur une vieille moto, et qui leur a crié quelque chose que j'ai pas clairement entendu.

À ce moment-là, j'ai aperçu Zaéma et ses parents qui avançaient vers la place. Ils sont passés devant la fontaine, ils ont ralenti un peu devant la boutique du boulanger, puis ils ont pris la rue du temple et je les ai perdus. Où est-ce qu'ils pouvaient bien aller à cette heure-là ?

J'ai pas pu m'empêcher d'imaginer un truc terrible et mon cœur s'est mis à battre très vite. Puis je me suis dit que j'étais trop loin pour bien voir, que je m'étais sûrement trompé, que ça pouvait pas être eux.

Pendant ce temps-là, oncle Moussa continuait : « Il faut d'abord être un homme, Abram. Au moment de ta mort, il faudra que tu puisses te dire, sans mentir : *Je n'ai honte de rien, je suis en paix avec ma conscience. Je savais ce que Dieu attendait de moi et je lui ai obéi sans hésiter, sans fléchir.* »

J'aurais voulu répliquer n'importe quoi, lui dire qu'on pouvait avoir d'autres rêves, que je pouvais voir le monde autrement et avoir raison, moi aussi. Mais j'en avais plus la force. On se comprend plus, c'est tout.

Je sais qu'il s'en fait pour moi. Il voit bien quel avenir merdique je peux espérer si je reste au village. Il veut m'aider à vivre différemment des autres. Eux, ils sont condamnés d'avance à la misère. Alors il m'encourage à faire comme lui. Il appelle ça vivre comme un homme. Oui… mais comme un homme qui a choisi de mourir. Et c'est pas logique.

Je pense que les gens malheureux veulent à tout prix faire croire aux autres que le bonheur existe pas, en tout cas pas ici, sur la Terre. C'est pour ça qu'ils cherchent à emmener les autres dans leur désespoir, pour être bien sûr qu'on leur prouvera jamais le contraire en réussissant malgré tout à être heureux. Ça les rendrait fous de colère qu'on leur montre qu'ils ont eu tort d'y renoncer. Souvent, comme dit le proverbe, *les plus malheureux sont aussi les plus orgueilleux.*

Au fond, c'est peut-être ça, mon combat à moi, un combat contre ceux qui veulent me faire croire que l'avenir que j'imagine, que je désire de toutes mes forces, c'est rien d'autre qu'une vulgaire illusion. Contre ceux qui se moquent des garçons comme moi qui espèrent encore que la vie leur réserve un destin extraordinaire. Moi j'ai besoin d'être convaincu que les miracles existent, que parfois, dans le Désert, ce qu'on prend d'abord pour un mirage, c'est bien une oasis, avec sa source, ses palmiers, ses oiseaux. Perdre tout espoir, c'est déjà un peu mourir. J'aime mieux croire que tout reste possible. Avec l'aide de Dieu.

Oncle Moussa a certainement vu que je l'écoutais qu'à moitié, mais ça l'a pas découragé. Son ton était de plus en plus sarcastique et méprisant, on aurait dit qu'il parlait à un idiot qui comprenait rien même si on lui expliquait des trucs simples :

« Toi, Abram, tu n'aperçois que ce qui est près de toi. Quand tu contemples le monde qui t'entoure, ton regard ne porte pas plus loin que l'horizon. Et pourtant tu penses connaître le sens profond des choses. C'est normal, j'imagine, puisque tu n'es pas encore tout à fait un homme. Et quand tu songes à demain, tu t'imagines que bientôt tout sera différent, que tout ira comme tu le veux, que le monde changera pour te faire plaisir, alors que toi, Abram, tu demeureras le même. Ce serait trop facile si, pour être heureux, il suffisait de le vouloir. La vie est tellement plus dure, Abram, tellement plus dure ! Mais sache que si Dieu met sur ton chemin des embûches, c'est pour que tu Lui prouves que tu as du cœur. As-tu du cœur, Abram ? »

Je me suis retourné et j'ai regardé vers l'horizon. Là-bas, la Montagne était cachée par un immense nuage de sable qui montait du Désert. Pendant une seconde, je me suis vu au milieu de la tempête, piégé, sans rien pour m'abriter, sans personne pour me secourir. Combien de temps est-ce que je pourrais résister ? Et si jamais je pouvais pas… ? Mon corps resterait-il enfoui longtemps avant qu'on le trouve ?

Il s'est accroupi. Il m'a pris les bras, doucement. Il cherchait mes yeux : « Tu m'écoutes, Abram ? »

Son ton était redevenu amical. J'ai senti qu'il cherchait moins à me convaincre. Je crois qu'il voulait sincèrement m'aider :

« La vie a un sens qui nous dépasse. Tu dois cesser de fixer ton attention sur les problèmes du village. Regarde vers le ciel, c'est de là que te viendra la paix que tu cherches. Le monde que tu connais, celui que tu vois, que tu touches, ce monde-là ne te rendra jamais heureux, Abram, parce qu'il n'est pas plus réel qu'un reflet dans l'eau de la rivière. Mais le Seigneur est bien réel, Lui, c'est même l'Unique Réalité. Demande-toi donc ce qu'Il veut. Alors tu sauras quoi faire et tu pourras prendre ta véritable place parmi les hommes. Ce n'est pas une fille, Abram, qui te procuera un bonheur comme celui-là. »

∾

Quand on est revenus à la maison, oncle Moussa et moi, les parents de Zaéma étaient au salon avec les miens. Ils voulaient pas que j'entende ce qu'ils avaient à dire, alors j'ai dû aller attendre dans la cour qu'ils aient fini.

C'était pour nous dire, pour me dire que je dois plus accompagner Zaéma à l'école le matin, ni la raccompagner à la maison le soir. Carrément. Ils veulent plus que je la voie, que je lui parle, jamais, même si je la rencontre par hasard au marché, sur la place ou ailleurs. Ils ont dit à mes parents : « Nous aimons beaucoup Abram, c'est un brave garçon, on lui souhaite tout le bonheur possible. Mais Zaéma et votre fils ne sont plus des enfants. Comme vous savez, Zaéma doit se fiancer bientôt. On trouve qu'il serait préférable… Vous comprenez… Question de sauver les apparences. »

Je suis sûr que c'est l'oncle, le père de ce trou de cul de cousin, qui les a convaincus. Il est venu l'autre jour, tout seul, leur rendre visite, sûrement pour leur parler d'argent, parce que ces gens-là, les commerçants qui ont du fric, ils pensent que tout est rien que du business.

Il a voulu aller tout seul attendre Zaéma à la sortie des classes, pour la raccompagner à la maison. On dirait qu'il la considère déjà comme un truc qui lui appartient. Il attendait devant moi, au milieu des autres. Je l'ai remarqué, il avait une drôle de gueule, mais je pouvais pas savoir que c'était lui.

Quand Zaéma est apparue dans la cour et qu'elle s'est avancée directement vers moi en souriant, il s'est retourné et j'ai vu de la colère dans ses yeux, et beaucoup de mépris. Il a dû comprendre tout de suite qu'y a quelque chose de très fort, d'unique entre elle et moi.

Zaéma l'a pas aperçu tout de suite. Faut dire qu'elle me fixait avec ses yeux pleins d'étoiles et son sourire de fée. Elle voyait que moi, quoi ! Alors il l'a appelée, en criant presque son nom, comme s'il la rappelait à l'ordre, puis il a planté le bout de son doigt dans ma poitrine : « Je suis l'oncle de Zaéma », qu'il a dit, comme pour me menacer. « Je vais la raccompagner à la maison. Toi, tu t'en vas tout seul. Allez, petit gars, oust ! »

Oui, c'est vrai, connard ! Je m'en vais, et tout seul. Je partirai bientôt, peut-être demain. Inutile de rester ici plus longtemps.

Qui sait combien de temps Zaéma pourra m'attendre ? Il se passera rien, c'est sûr, en tout cas rien de définitif, avant son seizième anniversaire. Peut-être même qu'on attendra qu'elle ait dix-sept ans… Mais c'est vraiment pas sûr. C'est aux parents de Zaéma de négocier ces choses-là.

Est-ce que ça me laissera assez de temps pour faire ce qu'il faut ? Et si malgré tout, au moment qui a été décidé, je suis pas encore revenu, est-ce qu'elle aura la force de leur résister ? L'oncle sera sûrement pressé de conclure l'affaire et de passer à autre chose. Putain d'enfoiré.

Abram

La nuit est tombée, sans lune, sans étoiles. La nuit noire, quoi. Le vent a commencé à souffler en fin d'après-midi. Au début, c'était presque rien, juste une brise, mais ça s'est renforcé d'heure en heure, et maintenant, c'est la tempête. Tout le monde garde le silence, mais je sais qu'y a personne qui dort. C'est impossible. Le vent siffle trop fort. Le sable frappe par poignées les murs des maisons et ça résonne dans la rue comme des tambours. On dirait que le Désert nous attaque, qu'il nous envahit, qu'il veut nous ensevelir une fois pour toutes.

Y a pas de meilleur moment pour partir. Avec tout le vacarme que ça fait, le sable et le vent, si je fais très attention, si je suis aussi rapide et imprévisible qu'une rafale, on m'entendra pas sortir.

Y a deux vieux qui causaient tout à l'heure sous ma fenêtre. Ils étaient d'accord que ça durerait pas, que ça se calmerait avant le matin. Un d'eux a conclu : « Ce ne sera qu'une bonne gifle. » C'est leur façon de dire que ce sera rien de trop sérieux, rien pour avoir peur. Juste un petit salut du Désert, pour qu'on l'oublie pas.

∽

Cette nuit, avant que les chevriers guident les troupeaux vers les collines, je m'en irai.

∽

Hier Slimaann m'a confirmé ce que je craignais. Sa mère et celle de Zaéma sont cousines, alors il est bien informé... Dans trois jours, on va obliger Zaéma à se fiancer avec le cousin. Elle ira dans son village, plus bas dans la vallée, pour la cérémonie. C'est la coutume que la fille se rende chez le garçon pour échanger des cadeaux et bouffer du gâteau.

Il a voulu me consoler : « Je suis désolé, vieux. Mais je voulais que tu saches. Ça te concerne, quoi. Allons, fais pas cette gueule-là ! Tu t'en remettras, je te dis. Y a un tas d'autres filles... »

Je lui en veux pas, à Slimaann, c'est pas sa faute. Je l'aime beaucoup, on peut toujours lui faire confiance, c'est ni un menteur ni un vantard, même si souvent il parle trop. En tout cas, je l'oublierai jamais, il restera mon ami peu importe ce qui arrivera.

∽

Je connais un chemin qui contourne le village. C'est celui des chevriers quand ils mènent les troupeaux. Il rejoint la route de la Montagne, de l'autre côté des collines, au dernier point d'eau. C'est un long détour, mais j'ai pas le choix. Faut absolument que je réussisse à atteindre le Désert sans qu'on me voie. Après, avec l'aide de Dieu, je marcherai jusqu'à la Mer.

J'espère que j'aurai assez d'argent pour payer mon passage. Ils doivent pas faire crédit… Bizarrement, je m'en fais pas trop avec ça, je suis sûr qu'y a moyen de s'entendre avec eux. Depuis toujours, je garde tout ce qu'on me donne, aux Fêtes, aux anniversaires, même les petites pièces, tout ce que j'ai gagné en aidant mon père à l'atelier quand il avait besoin de moi, et même les billets neufs qu'oncle Moussa m'a donnés cette année pour que je m'achète un exemplaire du Livre. Ça fait pas beaucoup, mais c'est mieux que rien.

Apparemment, l'Ennemi surveille plus vraiment le Désert. Il campe toujours près de la Frontière, pour empêcher le trafic des armes avec le Pays des Mille Lacs, mais y a que la route principale qui est surveillée. Ils osent pas s'aventurer dans la Montagne, c'est un terrain qu'ils connaissent pas. Alors je vais suivre l'ancienne route des caravanes, c'est ce qu'oncle Moussa fait toujours. C'est la plus difficile, parce qu'y a longtemps qu'elle est plus entretenue, mais c'est la plus courte.

Lui, il réussit maintenant à traverser en trois jours. Faut dire qu'il sait le chemin par cœur, il emporte presque rien avec lui, et surtout, il arrive à marcher longtemps sans s'arrêter. Il connaît aussi les sources qui se cachent sous les pierres et les buissons, et les anciens puits qui sont pas complètement bloqués par le sable. Moi, je dois prévoir au moins cinq jours, si y a rien qui m'arrête.

Ça m'est arrivé souvent de passer de longues heures dans le Désert. Mais c'était en rêve, et ça doit sûrement pas compter…

De l'autre côté du Désert, là où la route commence vraiment à monter en pente, y a un petit sentier secret qui s'ouvre à droite entre deux gros rochers. C'est un des trucs que j'ai retenus de tout ce qu'oncle Moussa m'a raconté.

J'espère que je le trouverai. Après trois ou quatre heures de grimpe, le sentier se divise en deux. Y a un chemin qui continue vers le sommet en passant par le camp principal de l'Armée de Dieu. Un autre qui redescend vers la Frontière. C'est celui-là que je vais prendre.

∿

La chambre de mes parents est au fond du couloir, alors je suis sûr qu'ils m'entendront pas ouvrir la porte et quitter la maison. Mais je dois d'abord passer devant la chambre de mes sœurs, et ça, c'est plus risqué.

Seigneur, je m'en remets à Toi, fais qu'elles remarquent rien. Si j'y arrive, ce sera comme si Tu me disais : « Va, Abram, va ! » Alors je saurai que j'ai raison de partir.

∿

Je suis jamais sorti la nuit. En tout cas, jamais tout seul. Pendant les Fêtes, ça arrive qu'on reste tous dehors très tard, mais y a des lampes et beaucoup de monde. Alors on a pas vraiment l'impression que c'est la nuit. Mais tout seul… Au moins, je connais par cœur le village et les champs alentour, et je crois que je pourrai me rendre de l'autre côté des collines sans problème. Après, j'attendrai qu'il fasse assez clair pour suivre le chemin sans m'égarer.

∿

J'ai écrit une lettre à Zaéma :

Ma chère Zaéma,

Alors que tu lis ces mots, j'ai déjà quitté le village. Je suis dans le Désert, en route pour la Montagne. Après, je passerai la Frontière, puis j'irai jusqu'à la Mer et je la traverserai. Je vais en France trouver du travail. Du travail qui paie bien. Je suis pas paresseux, tu me connais.

Je te le jure, je reviendrai. Tu vaux plus que la vie à mes yeux ! Attends-moi, Zaéma, je t'en supplie, attends-moi !

Tout ce que je fais, je le fais pour nous deux. Pour que tu sois à moi, ô ma promise, et moi à toi, pour la vie. À mon retour, on fera comme on a dit, on se mariera, on ira en vacances, on s'achètera une maison à nous, on aura des enfants. Parce que tu verras, je serai riche.

Comment je ferai ? Je sais pas encore. Mais je trouverai bien un moyen. Y a certainement un moyen. Je vais le découvrir, crois-moi.

Je t'oublierai pas une seule minute. Je penserai à toi, toujours. Tou-jours !

Surtout, t'en fais pas. Dieu est grand. Il est de notre côté, j'en suis sûr, je le sens. Il m'aidera. Il nous aidera. Toi aussi tu dois être courageuse. Alors aie confiance. Moi j'ai confiance. Je suis prêt à tout et j'ai pas peur. Et surtout…

Je t'aime.

Je vais la laisser sous sa fenêtre. Y a une petite fissure entre deux briques dans le mur. Quand elle entendra dire que je suis parti, c'est sûr qu'elle ira voir, c'est toujours là que je lui laisse des messages. Je sais pas comment elle réagira. J'ai pas réussi à l'avertir. Y a trois jours que je lui ai pas parlé. J'ai juste pu la voir, de loin. Y a constamment quelqu'un de sa famille qui l'accompagne.

Ils pourront bien essayer comme ils veulent de nous séparer, ils réussiront jamais à nous faire croire, à Zaéma et moi, qu'on a tort de s'aimer.

Les deux vieux avaient raison, le vent est tombé. Tant mieux, parce que j'ai dû avaler au moins un kilo de poussière en venant jusqu'ici.

Je suis arrivé juste où commence le sable. Y a pas un bruit. La lune se cache quelque part. Si y avait pas des tas d'étoiles qui font comme une lueur, il ferait aussi noir qu'au fond d'un puits. Mais c'est pas assez de clarté pour que j'entre tout de suite dans le Désert. Je vais attendre que l'aube se pointe.

Pour écrire, j'ai allumé un bout de chandelle. Il fait froid. Ma main tremble. Les idées tournent dans ma tête, comme des grains dans un tourbillon de sable. J'ai des doutes. Des maudits doutes. Dieu tout-puissant, aide-moi !

Zaéma a toujours cru, elle aussi, qu'on allait un jour se marier. Elle m'aime, c'est avec moi qu'elle veut vivre, elle me l'a répété cent fois, mille fois. Et je l'ai crue. Mais malgré tout, peut-être qu'elle osera jamais désobéir à ses parents.

Je peux pas m'empêcher de repenser à tout ce qu'ont dit les autres. Est-ce que ça suffit vraiment de s'aimer ?

Ma petite Zaéma ! Quand elle verra que je suis parti, quand on essaiera de la convaincre en disant : « Crois-nous, il reviendra pas, le petit Abram, le petit fou. Tu peux déjà l'oublier… » Parce que c'est ce qu'ils feront, j'en suis sûr, les salauds. Alors peut-être qu'elle flanchera, malgré sa promesse. Parce qu'elle aura pas le courage de déplaire à sa famille, parce qu'elle est obéissante et respectueuse, parce qu'elle osera pas contredire son père… Parce qu'elle finira par croire, sous la pression des autres, que je suis parti pour toujours, que je l'ai abandonnée, que je l'ai trahie.

Quand je reviendrai, dans trois, quatre, cinq ans… est-ce qu'elle m'aura attendu comme elle l'a juré ? Ou est-ce qu'elle se sera mariée avec le taré de cousin ? Alors elle me demandera, en baissant les yeux, de plus venir la voir, jamais. Elle aura fait son choix, elle se sera soumise à la volonté de ses parents, à la tradition, elle aura renoncé à notre rêve, à nos voyages dans ma voiture neuve, à la Mer, à la géographie, à nous deux, main dans la main, dans la ruelle… à notre Amour.

Est-ce vraiment nécessaire que la vie soit aussi intolérable ? Qu'est-ce qu'on gagne à tellement souffrir ?

Ah ! Faut pas penser à ça, Abram. Faut pas penser à ça ! Ça te rendra fou. C'est plus le temps d'avoir des doutes. Tu emportes avec toi la promesse de Zaéma. Ça doit te suffire.

༄

Je veux pas garder avec moi les cahiers que j'ai remplis ces derniers mois. C'est trop encombrant. La route est longue et dure et faut rien transporter d'inutile. J'ai pas voulu non plus les laisser dans ma chambre, je crois que c'est mieux que mes parents les lisent pas. Alors je vais les laisser ici, dans une vieille boîte de carton.

J'ai pris un couteau dans la cuisine. J'ai pas pris le plus coupant, comme ça ma mère s'en apercevra peut-être même pas. J'ai la corde que m'a prêtée Slimaann. Il a dit qu'il l'a « trouvée » dans les affaires de son père. C'est une corde bien neuve, et sûrement bien solide. Je sais pas encore à quoi elle pourra servir, mais une corde, ça peut toujours être utile.

Il m'a aussi donné toutes ses économies, et même il a fait croire à sa mère qu'il fallait de l'argent pour acheter des livres neufs à l'école et il me l'a refilé… J'espère qu'il aura pas d'ennuis pour ça. Que Dieu le bénisse ! Dans mon sac, j'ai aussi de l'eau, une boîte de biscuits, des amandes, des dattes… C'est tout ce que j'ai pu trouver à la maison. Les armoires étaient à peu près vides. C'est sûr, je vais manquer de bouffe. J'ai déjà faim.

J'ai tout le Désert devant moi. C'est précisément ici qu'il commence, au pied des collines. D'où je suis, on voit à peine le sommet de la Montagne. Mais comme nous expliquait le professeur, plus je m'approcherai, plus je la verrai monter à l'horizon, comme si elle sortait de la terre pour remplir tout le ciel.

Je vais marcher sans m'arrêter. À moins qu'il fasse trop chaud… Alors j'attendrai à l'ombre que le soleil baisse un peu. J'espère que je trouverai de l'ombre.

Si j'ai trop faim, je boirai de l'eau. On dit que ça calme le ventre. Est-ce que j'en aurai assez ? J'en ai apporté le plus possible, mais l'eau, c'est lourd, et on peut pas en traîner autant qu'on voudrait.

J'ai vu là-bas une pierre qui m'a fait penser à la roche au Héros, mais en plus petit. Je vais mettre la boîte juste à côté. Comme ça, quand je voudrai récupérer mes cahiers, je me rappellerai où c'est. Je veux dire, si jamais je reviens les chercher.

Parce que quand je serai de retour, que je serai riche, que je roulerai dans une voiture neuve et que tout ira comme on veut, Zaéma et moi, alors c'est sûr, je penserai plus à ça. Dans ce cas, peut-être que quelqu'un d'autre les trouvera. Il pourra en faire ce qu'il veut, ça me sera égal. Comme dit tante Zaara : « Quand le présent sourit, le passé sèche ses larmes. »

∾

Avec de l'argent, ce sera quand même plus facile. Tout est plus facile avec de l'argent.

Faut arrêter d'écrire. Il fait juste assez clair pour que je voie où je mets les pieds, et bientôt le soleil va lancer du feu et le Désert sera comme un four. C'est maintenant ou jamais…

Alors adieu !

Si le Seigneur le permet, tout se passera bien, je manquerai pas d'eau, je trouverai de l'ombre, y aura pas de tempête et je me perdrai pas.

∾

Je prie pour ma mère. Je prie pour mon père. Je prie pour tante Zaara. Je prie pour grand-mère. Je prie pour mes sœurs. Je prie pour oncle Moussa. Je prie pour les mecs.

Surtout, je prie pour nous deux, Zaéma, ma promise, mon amour.

Dieu est grand !

AMEN

Table des matières

Les Éditions L'Interligne
435, rue Donald, bureau 117
Ottawa (Ontario) K1K 4X5
Tél.: 613 748-0850 / Téléc.: 613 748-0852
Adresse courriel: communication.interligne@gmail.com
www.interligne.ca

Directeur de collection: Michel-Rémi Lafond

Œuvre de la page couverture: Shutterstock
Graphisme: Mikael Gravelle
Révision et corrections: Jacques Côté
Distribution: Diffusion Prologue inc.

Les Éditions L'Interligne bénéficient de l'appui financier du Conseil des arts du Canada, de la Ville d'Ottawa, du Conseil des arts de l'Ontario et de la Fondation Trillium de l'Ontario. Nous reconnaissons l'aide financière du gouvernement du Canada par l'entremise du Fonds du livre du Canada (FLC) pour nos activités d'édition.

Les Éditions L'Interligne sont membres du Regroupement des éditeurs canadiens-français (RECF).

MARQUIS

Québec, Canada

RECYCLÉ
Papier fait à partir
de matériaux recyclés
FSC® C103567

Imprimé sur du Rolland Enviro,
contenant 100% de fibres postconsommation,
fabriqué à partir d'énergie biogaz et certifié FSC®,
ÉCOLOGO, Procédé sans chlore et Garant des forêts intactes.

PERMANENT   100%   BIO GAZ ÉNERGIE   Garant des forêts intactes^{MC}

*Ce livre est publié aux Éditions L'Interligne à Ottawa
(Ontario), Canada. Il est composé en caractères
Caslon, corps douze, et a été achevé d'imprimer sur
du papier Enviro 100% recyclé par les presses de
Marquis Imprimeur (Québec), 2016.*